D1244950

Hélène

Édition : Pascale Mongeon
Infographie : Johanne Lemay
Révision : Lise Duquette
Correction : Brigitte Lépine

Catalogage avant publication de Bibliothèque et Archives
nationales du Québec et Bibliothèque et Archives Canada

Boyer, Anne, auteur

Hélène / Anne Boyer ; avec la collaboration de Dominique
Drouin.

(Yamaska)

ISBN 978-2-7619-4994-1

I. Drouin, Dominique, auteur. II. Titre.

PS8553.O935H44 2018   C843'.54   C2018-940057-9
PS9553.O935H44 2018

Pour joindre l'auteure
info@dominiquedrouin.com

DISTRIBUTEURS EXCLUSIFS :

Pour le Canada et les États-Unis :
MESSAGERIES ADP inc.*
Téléphone : 450-640-1237
Internet : www.messageries-adp.com
* filiale du Groupe Sogides inc.,
   filiale de Québecor Média inc.

Pour la France et les autres pays :
INTERFORUM editis
Téléphone : 33 (0) 1 49 59 11 56/91
Service commandes France Métropolitaine
Téléphone : 33 (0) 2 38 32 71 00
Internet : www.interforum.fr
Service commandes Export – DOM-TOM
Internet : www.interforum.fr
Courriel : cdes-export@interforum.fr

Pour la Suisse :
INTERFORUM editis SUISSE
Téléphone : 41 (0) 26 460 80 60
Internet : www.interforumsuisse.ch
Courriel : office@interforumsuisse.ch
Distributeur : OLF S.A.
Commandes :
Téléphone : 41 (0) 26 467 53 33
Internet : www.olf.ch
Courriel : information@olf.ch

Pour la Belgique et le Luxembourg :
INTERFORUM BENELUX S.A.
Téléphone : 32 (0) 10 42 03 20
Internet : www.interforum.be
Courriel : info@interforum.be

03-18

Imprimé au Canada

© 2018, Les Éditions de l'Homme,
division du Groupe Sogides inc.,
filiale de Québecor Média inc.
(Montréal, Québec)

Tous droits réservés

Dépôt légal : 2018
Bibliothèque et Archives nationales du Québec

ISBN 978-2-7619-4994-1

Gouvernement du Québec – Programme de crédit d'impôt
pour l'édition de livres – Gestion SODEC –
www.sodec.gouv.qc.ca

L'Éditeur bénéficie du soutien de la Société de dévelop-
pement des entreprises culturelles du Québec pour son
programme d'édition.

Conseil des Arts   Canada Council
du Canada   for the Arts

Nous remercions le Conseil des Arts du Canada de l'aide
accordée à notre programme de publication.

Financé par le gouvernement du Canada
Funded by the Government of Canada | Canadä

Nous reconnaissons l'aide financière du gouvernement du
Canada par l'entremise du Fonds du livre du Canada pour
nos activités d'édition.

ANNE BOYER
avec la collaboration de
Dominique Drouin

Hélène

Roman

LES ÉDITIONS DE
L'HOMME
Une société de Québecor Média

Je dédie ce livre à F, S, W, D et M,
les hommes de ma vie.
Sans eux, rien ne serait possible.
Grâce à eux, je suis comblée en tout.

Pour découvrir l'univers de Hélène au fil des pages,
rendez-vous sur romansyamaska.com

CHAPITRE 1

Le soleil descend paresseusement sur le cimetière de Granby. Ce 1er septembre est une vraie journée d'été et Hélène a passé les deux dernières heures près de la pierre tombale d'Étienne. Deux ans déjà… Un cancer foudroyant a emporté son mari, le grand amour de sa vie. Hélène a eu l'idée d'apporter une couverture pour faire une sieste à l'ombre du grand saule au bord de la rivière Yamaska. Un temps volé à sa vie mouvementée d'avocate toujours prise entre un rendez-vous et un procès à la cour.

Elle serait bien restée là encore un peu à rêvasser et à somnoler, mais Julie et Réjanne, ses amies, l'attendent pour leur traditionnel souper de filles. Depuis le décès d'Étienne, les trois quinquagénaires se voient régulièrement. À la fois sacrées et nécessaires, ces rencontres leur ont plus d'une fois « sauvé la vie », comme elles se plaisent à le dire. Il y en a eu des drôles, des sérieuses, des tendres et des affreusement tristes, comme celles qui ont suivi la mort d'Étienne. Mais l'amitié de ces femmes, si différentes les unes des autres, s'est maintenue malgré les années et les chicanes passagères, les hauts et les bas de leurs vies.

Le Noël suivant le décès d'Étienne, Hélène ne réussissait pas à prononcer son nom sans éclater en sanglots. Malgré la bonne volonté de tout le monde, elle avait traversé les fêtes comme dans un brouillard. En dépit de leur peine, son fils Olivier et Marthe, la mère d'Étienne, avaient organisé un réveillon le 24 décembre et Julie l'avait invitée le 25. Hélène s'était fait violence pour y aller afin de ne pas les décevoir, mais elle était cloîtrée dans sa bulle de tristesse. Personne ne saisissait exactement le désarroi de cette femme de carrière qui semblait si forte et si volontaire. Pour la première fois de sa vie, Hélène se sentait complètement démunie, privée du goût de se battre qui avait toujours été sa force.

Rapaillant ses effets, elle aperçoit son fils, tout à ses pensées, qui s'approche de sa démarche chaloupée. Comme elle, il vient régulièrement se recueillir sur la tombe d'Étienne. Hélène regarde son beau grand garçon avec fierté. Un sentiment de gratitude aussi qu'il lui ait pardonné ses années d'errance maternelle. C'est Étienne qui a pris soin de leur fils à partir de leur séparation. Olivier avait dix ans. À cette époque, elle était convaincue d'être la pire mère au monde, que sa présence dans la vie de son fils était non seulement inutile mais nuisible. Elle s'était retirée, enfuie même. Et sa consommation d'alcool avait alors décuplé : pour oublier son incompétence, pour s'étourdir, pour remplir le vide. Mais tout ça était derrière elle depuis longtemps déjà. Olivier était désormais un adulte. La relation avec lui était maintenant au beau fixe et ils s'étaient même rapprochés encore davantage depuis le décès d'Étienne. Olivier l'aperçoit enfin et lui sourit. Il arrive près d'elle et place une main sur son épaule en s'assoyant à ses côtés.

Ils restent un moment immobiles et silencieux à regarder la rivière, unis dans leurs souvenirs. Puis Olivier rompt le silence et déclare, fier :

— M'man, on a décidé de recommencer.

Hélène comprend tout de suite : Olivier et Ingrid vont tenter, une fois de plus, de faire un bébé.

— Ça, c'est une bonne nouvelle !

Après les funérailles d'Étienne, Ingrid avait annoncé qu'elle était enceinte. Tout le monde avait salué cet encourageant signe du destin. Hélène, d'habitude très peu ésotérique, avait même pensé que l'âme d'Étienne allait peut-être se réincarner dans celle de son petit-enfant. Mais, quelques semaines plus tard, la jeune femme avait fait une fausse couche. C'est là qu'Olivier s'était réellement effondré. Il avait bravement tenu le coup pendant toute la maladie de son père, toujours souriant et positif: un soutien indéfectible pour Étienne et ensuite pour Hélène. Mais le double deuil de son père et de son bébé à naître l'avait plongé dans une dépression dont il se sortait à peine. Il n'avait recommencé à travailler que deux mois plus tôt et ce désir de fonder une famille prenait des allures de nouveau départ.

— Vous méritez d'avoir une vie de famille comme vous le rêvez.

— Merci, m'man.

— Comment ça va pour toi chez DuoBuzzz?

— Bien. Ça se place tranquillement.

Hélène sent que le retour d'Olivier au travail est plus difficile qu'il ne veut l'avouer. Mais elle connaît son grand. Inutile de tenter de lui tirer les vers du nez, il ne se confiera qu'à son heure.

— Faut que j'y aille. Julie et Réjanne m'attendent.

— Je vais rester encore un peu, moi. Mais je vais aller te reconduire à ton auto.

Mère et fils s'éloignent, bras dessus bras dessous. Pour la première fois depuis longtemps Hélène sent qu'ils sont tous les deux solides et confiants, qu'ils peuvent chacun se réinventer une vie. Mais laquelle?

Hélène arrive la dernière au MacIntosh. Julie et Réjanne l'accueillent à bras ouverts. Elles savent toutes les deux d'où Hélène arrive.

— Ça va? demande Julie un peu soucieuse.

— Très bien, la rassure Hélène avec conviction.

— Fiou, rétorque Réjanne, cinq minutes encore et Julie allait te chercher.

— Non, non, je vous jure que ça va. Je suis restée longtemps, mais c'est correct.

On ne peut imaginer trio tissé plus serré ni plus désassorti. Réjanne, la blonde toujours un peu instable, inquiète et anxieuse, gérante d'une animalerie; Julie, la brunette bouclée, énergique entrepreneur, proprio depuis de nombreuses années du centre de jardin le plus fréquenté de Granby; et la grande Hélène, très classe, toujours impeccable, femme de carrière accomplie. Elles n'ont pas toujours été proches. Elles se sont d'abord fréquentées un peu par obligation, vu l'amitié qui unissait leurs maris. Puis, avec les années, les différences se sont estompées et plusieurs événements les ont amenées à baisser la garde et à passer de la méfiance à la complicité. Aujourd'hui, les masques sont tombés et le trio est soudé.

Hélène, qui ne boit plus d'alcool depuis des années, commande une eau pétillante, alors que Julie et Réjanne optent pour un verre de vin. La conversation va déjà bon train. Réjanne, toujours aussi fébrile et loquace, raconte, sur un ton apparemment léger, son récent séjour en Haïti. Hélène s'inquiète un peu. Ce troisième voyage semble avoir secoué son amie, visiblement traversée par le doute et les remises en question. Bien plus que la dernière fois quand elle y était allée avec Geoffroy, son fils, et Alicia, la conjointe de celui-ci.

Le plat principal arrive. Julie s'informe auprès d'Hélène.

— Et puis, la vente de la maison d'Étienne?

— Ça va. Ils viennent prendre les photos pour le site Internet dans quelques jours. Je rushe pour finir mon ménage et mon «homestaging».

Réjanne est sceptique.

— C'est-tu vraiment nécessaire de faire tout ça? Franchement, mettre des heures à placer ça d'une manière qu'on aime même pas. Je vois pas l'intérêt. On faisait pas ça avant, pis on vendait nos maisons pareil.

— Selon Mario, c'est essentiel. Sinon, les acheteurs ne voient pas le potentiel.

— Mario, c'est ton agent d'immeubles?

Julie précise :

— Tu te souviens, c'est l'ex de Rachel.

— Ah oui, dit Réjanne en ayant une pensée pour Rachel qui s'était suicidée quelques années auparavant.

— La vanille sur le rond de poêle pour faire croire qu'on vient de faire cuire un gâteau, ça marche-tu encore? demande Julie.

— Non, tout le monde connaît le truc, répond Hélène.

— Achète de la citronnelle ou n'importe quoi aux agrumes, suggère Réjanne. On fait ça dans les commerces de mon patron. Les gens trouvent que ça sent frais, propre. Ça les met dans de bonnes dispositions pour acheter.

— OK, dit Hélène, je retiens ça.

— Olivier, lui, il est d'accord avec ça, la vente de la maison de son père? questionne Julie.

— Il m'a dit que oui. Il comprend que c'est trop grand pour moi toute seule.

— C'est vrai. Vas-tu reprendre ton condo? demande Réjanne.

— C'est ça le plan. Ingrid et Olivier vont me le redonner. Ils ont commencé à chercher ailleurs.

Elles mangent un moment en silence. Puis Hélène s'intéresse au retour au travail de Réjanne après son séjour en Haïti. Réjanne ne dit pas tout. Mais elle parle de la nouvelle employée, Martine, engagée pendant son absence, avec laquelle elle a plein d'atomes crochus.

— On se comprend. Elle est allée en Inde, il y a cinq ans. Elle aussi, elle a trouvé ça difficile, en revenant, de voir tout le gaspillage qu'il y a ici. La pauvre Martine… elle traverse un bout dur. Elle est séparée depuis deux ans, pis son maudit ex fait traîner le divorce.

— Maudits hommes, dit Julie à la blague.

— C'est quand même vrai, réplique Réjanne toute sérieuse.

— Comment tu peux dire ça, Réjanne, lui demande Hélène, toi qui as un mari extraordinaire, amoureux, gentil…

Réjanne sourit tendrement.

— Mon Philou, c'est pas pareil… Quoiqu'il a eu ses moments d'égarement, lui aussi.

Hélène se tourne vers Julie.

— Pis toi ?

— William et moi, on est en lune de miel, les filles ! On a tout le temps la maison à nous tout seuls, maintenant.

Julie fait une mimique égrillarde. Les deux autres pouffent.

— Fred, il est allé à Montréal ou à Sherbrooke finalement ?

— À l'Université de Sherbrooke.

Le repas se termine joyeusement. Hélène regarde ses amies avec affection et se trouve chanceuse.

Le lendemain, Hélène sillonne les allées de la boutique de produits naturels et se rappelle le conseil de Réjanne au sujet des odeurs pour la vente de la maison. Elle se dit qu'elle ne risque rien à acheter de l'huile essentielle à la citronnelle et en met une bouteille dans son panier. Devant elle, à la caisse, un homme rigole avec la caissière. Il est grand, les cheveux poivre et sel et est plutôt séduisant. Hélène se surprend même à sourire des blagues qu'il fait. En l'observant, elle a la curieuse impression de l'avoir déjà vu, mais cette sensation fugace s'estompe dès qu'il sort.

Ce matin-là, Olivier récupère un peu de sommeil. Il a travaillé tard la veille, occupé dans un évènement organisé par DuoBuzzz pour la ville de Granby. Pour une rare fois depuis son retour au boulot, il n'a eu aucun accrochage avec Suzie la rebelle, qui travaille désormais pour l'entreprise qu'ils ont créée, Théo et lui. La présence de Suzie, en couple avec Théo, ne lui plaît pas, mais il n'a pas encore osé en parler à ce dernier. Théo a tenu DuoBuzzz seul à bout de bras, après le décès d'Étienne, pendant les mois où Olivier a sombré dans la dépression. Il a demandé de l'aide à Suzie et, peu à peu, la jeune femme s'est installée en maîtresse des lieux. Elle et Olivier n'ont jamais eu d'atomes crochus, mais le fait de se voir chaque jour empire les choses.

Quand il se lève au milieu de la matinée, Ingrid est devant l'ordinateur, en train de finir un montage vidéo commercial. Depuis qu'ils ont emménagé dans le condo d'Hélène, Ingrid et Olivier en ont fait leur nid et ont changé la déco. Tout est maintenant épuré, dans les tons de crème.

Ingrid lève la tête de son écran, tout sourire. Quelle chance il a d'avoir cette femme dans sa vie, se dit-il. Sans elle, il ne serait pas passé à travers le deuil de son père. Il va la rejoindre à la table de la salle à manger.

— Oli! J'ai vu une maison extraordinaire. En plein ce qu'il nous faut!

— Ah oui?

— J'ai pris rendez-vous pour qu'on aille la visiter demain.

— OK.

Olivier va faire son café matinal et revient s'asseoir avec Ingrid.

— Il y a autre chose aussi, lui dit Ingrid.

— Quoi?

— Va falloir faire l'amour plusieurs fois dans les trois prochains jours : j'ovule.

— Méchante punition, lui répond Olivier, grand sourire au visage. Faut commencer quand?

— Dès que possible, rétorque Ingrid avec un regard exagérément aguichant.

Sans avertissement, Olivier se lève, soulève Ingrid, qui crie de surprise, et lui lance :

— Pas de niaisage! Allons faire un bébé, ma belle blonde!

Hélène se laisse tomber dans un fauteuil du salon, claquée. Le ménage est terminé. Il reste bien quelques boîtes à aller porter au centre de dons, mais la maison est impeccable et prête pour la vente. Étienne y a vécu plus de 20 ans. C'est fou ce qu'on accumule au fil du temps. Le tri a parfois été déchirant. Olivier a même loué un espace dans un entrepôt pour pouvoir garder des objets et quelques meubles qu'il emportera avec lui dans sa future maison en souvenir de son père.

Le regard d'Hélène tombe sur une photo de son mariage avec Étienne. Pour la première fois, elle regarde le cliché sereinement, sans larmes. Dans le haut-parleur joue maintenant leur chanson. *Ni le feu ni le vent.* Bizarre, elle était certaine de l'avoir retirée de sa bibliothèque de chansons. Trop bouleversant. Mais aujourd'hui, c'est différent. Elle s'assoit à la table de la salle à manger pour l'écouter. C'est Étienne qui lui avait fait connaître cette chanson de Maryse Letarte deux ans plus tôt, le soir même du mariage, et ils l'avaient fait jouer mille fois au cours des deux mois qui avaient suivi, comme des adolescents. *Je t'aime pour toujours. Et même jusqu'après demain. Plus fort qu'au premier jour...*

Ce sursis, avant que le cancer terrasse Étienne, avait été une expérience unique dans la vie d'Hélène. Au bureau, Christine avait dû gérer les clients insatisfaits parce qu'Hélène ne voulait plus travailler. Elle voulait passer tout son temps avec son mari. Elle ne se sentait à sa place qu'en sa présence. Le reste n'avait plus aucune importance. Ils avaient beaucoup ri, avaient parlé d'eux, de leur fils, avaient pleuré dans les bras l'un de l'autre, avaient discuté de ce que serait la suite pour Hélène. Jamais elle ne s'était sentie aussi libre ni aussi heureuse que durant ces huit semaines. Ces moments avaient été les plus intenses de sa vie : émotivement, physiquement, mais aussi spirituellement. Une communion unique avec un autre être humain.

Puis, du jour au lendemain, la maladie avait durement rattrapé Étienne. Les quatre mois suivants avaient été atroces. Étienne, vidé de son énergie, qui devait se résigner à rester couché. Ses efforts pour ne pas leur montrer, à elle et à Olivier, à quel point il souffrait. Étienne en colère contre ce corps qui ne répondait plus, qui le trahissait. Ses cris de douleur, la nuit, quand il était à peine conscient. Étienne qui avait tellement maigri qu'on ne le reconnaissait plus. Étienne qui ne pouvait plus parler. Puis, finalement, Étienne qui rendait son dernier souffle, libéré de ses souffrances.

La chanson prend fin. Hélène est heureuse de constater qu'elle a franchi une autre étape de son deuil. Elle se lève, mue par un réflexe qu'elle ne comprend pas trop. Son ordinateur est posé sur la céramique bleue de l'îlot de la cuisine. Elle s'assoit et trouve rapidement ce qu'elle cherche. Elle commence à regarder les vidéos de son mariage. Elle fait défiler les images de cette mémorable journée, les unes après les autres. Un sourire flotte sur ses lèvres. Ce qu'il était beau, son homme. Elle ne pleure pas, elle est enfin en paix.

Hélène ouvre la porte, Mario Roy est devant elle avec un photographe venu prendre des photos de la maison. En entrant, Mario remarque aussitôt le changement depuis sa dernière visite.

— T'as travaillé fort.

— Mets-en!

— C'est parfait comme ça. C'est exactement ce qu'il fallait faire : épurer, enlever le superflu. Bravo, Hélène!

Le photographe connaît son travail. Il prend des photos partout dans la maison, de tous les angles. Pendant ce temps, Hélène et Mario s'installent à la table de la salle à manger pour signer les derniers papiers. Mario est persuadé que la vente sera rapide.

— Ça traînera pas, tu vas voir! La maison est au bon prix, elle est impeccable et je vais bien m'en occuper.

Pour Hélène, c'est une grosse page à tourner, mais elle est prête. Toute la famille a été consultée : Marthe et son conjoint Zachary,

Oli et Ingrid. Tout le monde convient que c'est la meilleure décision pour Hélène. Retourner au condo, avoir moins d'entretien, revenir à une vie plus simple : elle est rendue là.

Elle signe le dernier document, le sourire aux lèvres, satisfaite. La maison sera sur les réseaux de vente d'ici quelques jours.

Pendant qu'Hélène s'apprête à vendre la maison d'Étienne, Ingrid et Olivier finissent de visiter celle qu'ils souhaitent acquérir. Ils sont restés stoïques tout au long de la visite pour ne pas montrer leur trop grand intérêt mais, aussitôt assis dans l'auto, ils ne contiennent plus leur enthousiasme. La maison, toute bleue, est petite mais fonctionnelle. Elle est située en haut d'une butte qui donne une vue unique sur la campagne environnante malgré les voisins tout près. Une grande galerie, un peu bancale, se déploie sur deux côtés de la maison. Ingrid s'imagine déjà, assise avec son homme avant le souper, à siroter un apéro. Elle se voit aussi dans la cour arrière, pas immense mais toute gazonnée, à surveiller ses bambins. Elle a des frissons.

— As-tu le même *feeling* que moi ? s'exclame Ingrid, fébrile.

— Tellement ! C'est notre maison.

— Oh, Oli !!! Je suis si heureuse que tu l'aies aimée, toi aussi.

Ils savent qu'elle a besoin d'amour ici et là, mais ils sont prêts à se relever les manches. Elle est offerte à un prix qu'ils sont capables de payer et a tout l'espace qu'ils souhaitent pour élever leurs enfants.

— On va faire ça à notre goût, pis on prendra le temps qu'il faut. On fait une offre, Oli. Faut pas se la faire voler !

— Faut quand même en voir d'autres. C'est la première qu'on visite.

— Même si on m'en propose mille, c'est celle-ci que je veux.

Ingrid en rajoute. La seule pièce de la maison bleue qui ne demande aucun changement est la petite chambre d'enfant, fraîchement repeinte en jaune pâle. Ingrid y voit un signe : ils auront leur bébé et ce sera sa chambre. Cette fois, tout ira bien. Elle en a la conviction profonde. Olivier ne demande qu'à la croire. Il la prend dans ses bras et souhaite de toutes ses forces que les malheurs soient enfin derrière eux.

Hélène est en session de travail avec son associé Hugo Daoust, quand son adjointe Christine vient l'avertir que Mario souhaite la voir quelques minutes. Hugo est un jeune avocat de vingt-huit ans et il s'est joint au cabinet d'Hélène peu après le départ d'Étienne. À cette époque, Hélène réfléchissait beaucoup à la précarité des choses et à la fragilité de la vie. Elle ne voulait plus travailler soixante et parfois même soixante-dix heures par semaine, arriver chez elle harassée de fatigue, avec seulement la force de s'asseoir devant la télé pour s'endormir presque aussitôt. Elle avait senti le besoin urgent de voir passer la vie, de prendre davantage de temps avec ses amies, avec Olivier et Ingrid. De son côté, en quête de nature, Hugo venait de quitter une grosse firme à Montréal et voulait s'établir dans la région. Il avait cogné à sa porte, comme il l'avait fait à plusieurs autres à Granby, et était tombé à point nommé.

Malgré son jeune âge, Hugo semblait sérieux et posé. Sur le coup, Hélène l'avait même trouvé un peu éteint, mais son humour pince-sans-rire lui avait beaucoup plu. À peine une semaine plus tard, ils avaient signé leur contrat d'association et Hélène lui avait transmis un nombre non négligeable de dossiers. Peu à peu, il était devenu un partenaire indispensable.

Hugo se lève.

— Je te laisse à ton agent d'immeubles, je reviendrai tantôt. J'ai des appels à faire, de toute façon.

Hugo sort et les deux hommes se saluent en se croisant dans le bureau de Christine. Le visage radieux de Mario donne aussitôt un indice à Hélène sur le but de sa visite. Mario s'assoit et sort une liasse de papiers de son porte-documents. Il ménage son effet.

— Ma chère Hélène, ça fait combien de temps que ta maison est en vente?

— Deux semaines.

— Est-ce que j'avais dit que ça se vendrait vite? Oui, je l'avais dit.

Il tend un document pour qu'elle puisse le lire.

— Une offre d'achat à 10 000 $ sous ton prix. Ils sont bons pour allonger un autre 5000 $. L'affaire est pratiquement conclue.

Mario la regarde, fier de lui. Hélène se force pour lui retourner son sourire.

— Super, dit-elle, peu enthousiaste.

— T'as pas l'air contente. T'étais même prête à aller plus bas que ça. C'est formidable, non?

— Oui, oui.

Étrangement, Hélène n'arrive pas à se réjouir de cette nouvelle. Une partie d'elle est contente que les choses bougent si vite et à son prix en plus, mais elle est bouleversée. Pourquoi donc?

— Tu me laisses un peu de temps?

— On a quarante-huit heures pour leur revenir.

— OK.

Mario se lève et part en l'assurant qu'il s'agit de la meilleure offre qu'elle puisse recevoir, que les acheteurs sont deux personnes de la région avec des enfants en bas âge, qu'ils ont eu un véritable coup de foudre. Hélène le regarde partir, tout à coup envahie par la tristesse. La maison de son Étienne sera habitée par une autre famille. Ils vont peinturer, rénover, mettre d'autres meubles... Tout va changer et il n'y aura bientôt plus de traces de son grand amour dans ce lieu.

❧

Hélène décide de passer par le Café Vert avant de retourner chez elle. C'est encore David qui en est le gérant. Une chance qu'il est là, car Hélène n'aurait jamais pu garder le commerce après le décès d'Étienne s'il n'avait pas été présent pour veiller au grain. Il l'accueille chaleureusement, comme d'habitude, lui prépare un café à son goût et retourne à ses clients. Hélène aime bien venir passer du temps ici. Elle s'assoit toujours à la même place, à l'une des tables à gauche en entrant, et observe les clients. Il y a beaucoup d'habitués, les «irréductibles réguliers», comme les appelle David. Durant une accalmie, le gérant vient échanger quelques mots avec elle. Il lui apprend que Geoffroy Carpentier est passé et qu'il souhaite qu'elle lui donne un coup de fil quand elle aura deux minutes.

— Geoffroy? Ah oui? Est-ce qu'il a dit à quel sujet?

— Non, juste qu'il avait une proposition à te faire.

— Quel genre de proposition?

— Il a pas développé, répond David en se levant pour retourner à ses clients.

Hélène est perplexe. Qu'est-ce que Geoffroy peut bien lui vouloir?

Olivier arrive à l'improviste pour prendre des photos de la maison avant qu'elle soit vendue. Ce sont les goûts d'Étienne qui règnent partout ici. Hélène a bien féminisé la chambre à coucher qui était l'antre masculin de son mari, mais tout le reste est quasi intact. Oli se promène partout avec son téléphone cellulaire et Hélène le suit. Ils évoquent des souvenirs d'Étienne. Chaque pièce parle de lui...

Olivier traîne un peu avant de repartir. Hélène connaît son fils: il a sans doute besoin de se confier, de parler d'un sujet qui le tracasse. Elle lui offre du thé et ils s'installent dans le salon à leurs places habituelles. Hélène sur le fauteuil vert et Olivier sur le canapé rouge.

— Je me suis encore pogné avec Théo, aujourd'hui. Encore à cause de Suzie.

— Ça se place pas?

— Non.

Olivier soupire. Il est de retour au travail depuis deux mois et il n'arrive pas encore à retrouver sa place dans l'entreprise. Il se sent à contre-courant.

— Je devrais pas me plaindre. Pendant que j'étais pas là, Théo et Suzie ont beaucoup développé la clientèle. Ça m'a permis de pas m'en faire avec l'argent, mais là je suis revenu pis j'arrive pas à pogner le *beat*. Je me sens toujours un peu *off*. Il y a encore des dossiers que je maîtrise pas totalement. Suzie, elle, les connaît tous par cœur. Suzie, elle, sait mille choses que je sais pas. Elle est hyper efficace, les clients l'aiment. Pis moi ben… je me sens comme un employé pas trop compétent.

— Donne-toi encore un peu de temps. En as-tu parlé à Théo, comme tu m'en parles maintenant?

— Plus ou moins. Il comprend mais, en même temps, comme il dit «Faut que ça roule, Oli». Il a pas le temps ben ben, pis pas trop le goût non plus de s'attarder à n'en plus finir sur mes états d'âme.

— Aujourd'hui, c'était quoi?

— Suzie est repassée derrière moi pour modifier un *deal*.

— Ça, c'est pas *cool*, compatit Hélène.

— Ce qui fait chier, c'est qu'elle avait raison, mais elle aurait dû laisser passer, ne serait-ce que pour être solidaire. Évidemment, Théo était pas du tout d'accord avec moi. Bref, on s'est pognés solide.

— Tu devrais avoir une bonne conversation avec lui. Avec Suzie aussi. En dehors du bureau. Pour qu'ils comprennent ta position. Pour l'instant, ils se soucient tous les deux beaucoup du bien-être de DuoBuzzz. Mais s'ils comprennent pas ce que tu vis, ils pourront rien changer. Je connais pas beaucoup Suzie, mais Théo est un gars de cœur.

— Ouain. T'as raison.

Hélène essaie de rassurer davantage son fils, de lui conseiller d'être plus tolérant envers lui-même. Olivier repart chez lui en lui disant que ça va mieux, qu'il parlera aux deux, mais Hélène le sent encore préoccupé. En le regardant s'éloigner par la fenêtre, elle ressent une bouffée d'amour pour son fils. Elle tente de se secouer. C'est probablement le fait d'avoir, pendant des semaines, rangé des souvenirs dans la maison, de s'être remémoré sa vie du temps d'Étienne qui la rend si nostalgique. Elle réalise qu'elle n'a pas rappelé Geoffroy pour s'enquérir de sa proposition. Vingt-trois heures, trop tard, ça ira à demain. Après avoir verrouillé les portes et éteint les lumières, Hélène monte se mettre au lit en se demandant pourquoi elle n'a pas dit à Olivier qu'elle avait reçu une offre sérieuse pour la maison.

En pleine nuit, Hélène a encore les yeux grands ouverts. Elle regarde l'heure pour la énième fois. L'offre d'achat lui trotte dans la tête. Elle ne se sent pas à l'aise. Pourquoi donc ? Tout se passe pourtant exactement comme elle l'espérait. Mieux même ! Plus d'argent à la clé, une offre qui arrive beaucoup plus rapidement que prévu… Elle tique. C'est ça, le problème, finit-elle par comprendre : ça va trop vite. Elle n'a pas eu le temps de s'habituer à l'idée. Elle s'étonne encore de voir la pancarte « À vendre » sur le terrain quand elle rentre à la maison et voilà qu'une offre lui tombe dessus. D'avoir mis le doigt sur la raison de son malaise la relaxe. Elle se dit qu'elle pourra toujours reporter la date d'occupation de quelques mois. Cette solution l'apaise. Enfin elle peut s'endormir.

Hélène caresse l'encolure de son cheval, Hélios. Depuis son association avec Hugo, elle réussit à monter plusieurs fois par semaine. Ce cheval a été plus efficace pour elle que n'importe quel antidépresseur. C'est Étienne qui a insisté pour qu'elle en fasse l'acquisition quelques semaines après leur mariage et jamais elle n'a regretté cet achat. Quand elle monte, elle se vide la tête complètement. Ça l'aide à y voir plus clair quand elle fait face à des problèmes ou qu'elle vit des dilemmes. Comme aujourd'hui. La décision de reporter la date d'occupation de quelques mois a calmé son angoisse. Toutefois, quand elle se met à penser à ce qui l'attend après la vente, l'idée de retourner à son condo ne lui dit plus rien tout à coup. Elle n'a plus envie de vivre dans une tour, de prendre l'ascenseur chaque jour, de ne plus avoir de jardin.

En revenant vers l'écurie, elle aperçoit, au loin, le sympathique étranger qu'elle a croisé au magasin de produits naturels. Il est venu chercher un cheval, comme en font preuve le camion et la remorque stationnés à proximité. L'homme rigole avec Manon, la proprio de l'écurie. Puis on lui amène le cheval, une bête magnifique, un Colorado Rangerbred, qu'Hélène a aperçu quelques fois, ces dernières semaines. La bête semble rétive, mais visiblement l'homme connaît bien les chevaux et la guide habilement. Hélène s'arrête et observe la scène, regarde le cavalier calmer le cheval, le caresser avec assurance, lui parler à l'oreille et finalement le faire monter calmement dans la remorque. Elle le trouve sexy et s'étonne aussitôt d'avoir pensé ça. C'est la première fois qu'elle éprouve une attirance pour un autre homme qu'Étienne depuis des années. L'inconnu prend le volant du camion et démarre. Elle le regarde s'éloigner, puis se secoue et poursuit son chemin vers l'écurie. Drôle de hasard, pense-t-elle, ces deux rencontres en quelques jours…

Hélène dit au revoir à Geoffroy un peu froidement en refermant la porte derrière lui. Elle est encore surprise de sa demande. Lui, acheter le Café Vert ? Quelle idée farfelue. Juste à penser à la réaction d'Oli et à celle d'Ingrid aussi… Le jeune homme a eu l'air vexé qu'elle refuse net sa proposition. *Bof, il va s'en remettre*, se dit-elle.

C'est William, le mari de Julie, qui ouvre la porte à Hélène quand elle arrive chez son amie. Ils se font la bise, contents de se voir.

— Tu lunches avec nous ?

— Non, j'ai rendez-vous avec mon père au club de golf.

— Tu salueras le vieux malcommode de ma part, lui dit-elle en souriant.

Julie arrive de la cuisine en s'essuyant les mains sur un linge à vaisselle.

— Allô, mon amie.

Hélène lui fait la bise. William sort et les deux femmes se dirigent vers la salle à manger.

— As-tu faim ? demande Julie.

— Oh oui !

— C'est prêt. Viens t'asseoir.

Les deux femmes papotent de tout et de rien en cassant la croûte. Ce n'est qu'une fois le repas terminé qu'Hélène aborde le sujet qui la tracasse : l'offre d'achat sur la maison.

— Mais c'est formidable ! s'exclame Julie.

Puis voyant la mine de son amie :

— Non ? Le prix est trop bas ?

— Au contraire.

— Ben alors ?

— Ça m'angoisse juste de penser à partir.

— Ça fait des semaines que tu te prépares. Tu disais que tu te sentais mûre pour passer à une autre étape.

— C'est vrai. Mais en même temps… Je sais plus.

— Peut-être que t'es pas prête à partir de là.

— Il est un peu tard pour changer d'avis. J'ai un acheteur.

— Ouain, pis ? Annule tout.

— Tu y penses pas. Qu'est-ce que Mario dirait…

— C'est sûr que le bien-être de ton agent immobilier passe avant le tien, réplique Julie, ironique.

— Fais pas ta comique.

— Penses-y pareil.

— Non, je peux pas faire ça.

❧

Mario perd son sourire d'un coup.

— Tu veux plus vendre ? C'est une blague.

Assise derrière son bureau, Hélène n'est plus sûre d'elle maintenant.

— Non. Mais je vais payer une partie de la commission pour compenser tout le travail que tu as fait.

— C'est pas la question. Qu'est-ce qui se passe ? Pourquoi ?

— Quand j'ai décidé de vendre la maison, j'étais encore dans ma peine, dans le deuil. Je voulais, en vendant, éloigner la peine, tu comprends ? Mais depuis peu, c'est très récent, je t'assure, j'ai retrouvé une sorte de paix. Et là, je veux garder le souvenir d'Étienne près de moi. Vivre dans sa maison, c'est le meilleur moyen. Pour Oli et Marthe aussi, même s'ils ont eu la gentillesse de m'encourager à vendre, je crois que ça va leur plaire de pouvoir revenir ici.

Tout à coup, le regard de Mario change. Il se remplit d'affection pour Hélène.

— Comment je pourrais pas te comprendre. J'ai fait la même chose avec la maison de Rachel. On n'a pas le droit d'aller contre des sentiments aussi forts.

— Oh, que je suis soulagée ! Pis les acheteurs ?

— Je vais me débrouiller.

Soudain, un immense poids se retire des épaules d'Hélène. Elle a la profonde conviction qu'elle fait la bonne chose.

CHAPITRE 2

Ils se regardent intensément au-dessus de la flamme du feu de camp. Dans les yeux d'Étienne, il y a tout l'amour du monde. Jamais personne ne l'a regardée ainsi. Jamais. Hélène lui sourit. Ils se connaissent tellement qu'ils n'ont pas besoin de parler. Puis Étienne se lève. Il va venir la rejoindre, la prendre dans ses bras et l'embrasser. Elle anticipe le moment avec bonheur. Mais il tourne les talons et s'éloigne vers la forêt. L'angoisse étreint Hélène. Elle crie son nom, mais aucun son ne sort de sa bouche. Étienne se retourne. Encore ce regard infiniment amoureux. Il parle, mais elle n'entend pas. Curieusement, elle peut lire sur ses lèvres. « Aie confiance. Tout ira bien, mon amour. » Il reprend sa marche. Elle ne le voit plus maintenant, la nuit est trop noire. Étienne !!!

Hélène se réveille en sursaut, le cœur battant à tout rompre et encore habitée par ce rêve trop réel. Peu après leur mariage, Étienne l'avait convaincue des joies du camping, mais elle s'était bien juré de ne plus jamais s'y laisser prendre depuis leur voyage en Gaspésie, vingt-cinq ans plus tôt, où il avait plu des cordes pendant une semaine. Hélène s'était opposée, avait tenté de le faire changer d'idée en lui proposant quelque chose de plus « civilisé », mais il y tenait. Comment lui résister ? Étienne voulait absolument aller camper dans la forêt : la communion avec la nature, le silence, la paix.

Ce moment près du feu de camp avait bel et bien existé. Ils avaient passé une partie de la nuit collés l'un contre l'autre à se rappeler des souvenirs parce qu'ils ne pouvaient pas faire de projets d'avenir. Étienne respirait la santé à ce moment-là. C'était difficile de croire que tout avait basculé quelques semaines plus tard.

Hélène se tourne dans son lit et replace les couvertures. Elle comprend que ce rêve est le signe qu'Étienne la laisse aller, qu'il lui permet de vivre sa vie sans lui, sans que son souvenir reste douloureux et déchirant. Elle lui doit de regarder en avant.

Le lendemain matin, encore remuée par son rêve, Hélène prend son petit-déjeuner sur la terrasse en contemplant le jardin créé par Étienne. L'ambiance, l'âme de cette maison lui auraient tellement manqué. Comment a-t-elle pu envisager de s'en départir ? En retournant dans la cuisine, elle se sent tout à coup prise par l'urgence de tout replacer comme avant, maintenant qu'elle n'a plus à faire de mise en scène pour la vente. Elle met de la musique et entreprend de remettre la maison en état. Les boîtes reviennent de la cave et les objets reprennent leur place un peu partout dans la maison. Hélène se sent habitée par une énergie nouvelle. Deux heures plus tard, tout est comme avant, ses objets à elle se mêlent à ceux d'Étienne et elle se sent bien. Hélène repense aux deux mois passés avec son Étienne après leur mariage. Ce sont ces semaines de bonheur qui vont l'accompagner maintenant. Elle lève les yeux au ciel et remercie silencieusement son homme.

— Olivier est arrivé.

Christine vient de faire irruption dans le bureau de sa patronne, suivie de ce visiteur bien familier. Alors qu'Hélène accueille son fils en lui faisant la bise et l'invite à s'installer au coin salon, son adjointe referme discrètement la porte pour les laisser discuter en toute intimité.

— T'as encore changé d'idée, pis finalement tu veux vendre la maison?

Hélène rigole.

— Tellement pas. Cette maison va rester dans la famille aussi longtemps que je pourrai m'en occuper. C'est pour autre chose que je voulais te voir.

Hélène raconte à son fils la proposition de Geoffroy d'acheter le Café Vert et son refus catégorique.

— Pourquoi?

— Parce que je me suis dit que tu serais certainement pas d'accord. Et Ingrid encore moins.

— C'est plus la guerre entre Alicia et nous, tu sais. Toi, tu voudrais vendre?

— Peut-être, répond Hélène. Je m'en occupe pas vraiment. Je le gardais par nostalgie, je crois.

— Je comprends. J'aurais pas d'objection à ce que ce soit Geof qui l'achète. Ingrid non plus, je suis certain. Sauf que.

— Quoi?

— Il a pas ben ben d'expérience.

— Ouain…

Ils réfléchissent un moment.

— J'ai peut-être une idée pour t'assurer que ça se passe bien.

Hélène est tout ouïe.

Christine est venue rejoindre sa patronne pour faire un survol de l'agenda : procès de deux jours à la fin de la semaine, plusieurs rencontres de suivi et deux nouveaux clients. Hélène s'étonne.

— Deux ? Faut en donner un à Hugo.

— Il en a eu deux, lui aussi.

— La firme a quatre nouveaux clients cette semaine ?

— Oui. Vous avez pas l'air de réaliser que vous avez le vent dans les voiles.

— Une chance qu'Hugo est là. Je me demande bien comment j'y arriverais sans lui.

Christine reste coite. Hélène connaît son adjointe.

— Est-ce qu'il y a quelque chose qui cloche ?

— On en a déjà parlé, mais vous trouvez que j'exagère, alors je me tais.

— Je t'écoute. Vas-y.

Christine ne se fait pas prier davantage.

— On s'est entendus sur une manière de fonctionner, mais il fait toujours à sa tête. Il respecte pas du tout mon système de couleurs. Il faut que je repasse derrière lui tout le temps, ça fait que je travaille en double.

— Sois indulgente avec lui, il est jeune encore, plaide Hélène.

— Ça excuse pas tout, la jeunesse, vous savez. Je suis certaine qu'il respectait les règles dans son gros bureau de Montréal. Je me demande des fois s'il fait pas exprès pour me faire enrager.

— Je suis certaine que non, répond Hélène, pas tout à fait convaincue elle-même qu'Hugo ne prend pas plaisir à taquiner leur adjointe.

— Pis en plus…

Christine s'interrompt, visiblement mortifiée.

— Non, laissez faire.

— En plus quoi? insiste Hélène.

Christine hésite, puis se confie.

— Je pense qu'il rit de moi.

— Non, impossible.

— Oui, rétorque Christine, je vous le dis. Il a toujours un p'tit sourire en coin. Il rit toujours dans sa barbe quand il quitte mon bureau. Je sais pas s'il pense que je le vois pas, mais… C'est très vexant.

— Je vais lui parler.

— Pas du fait qu'il rit de moi, là! répond Christine, inquiète. Juste pour le classement des dossiers. Promis?

— Oui, oui, d'accord.

Christine se lève dignement et se dirige vers son bureau. Hélène réprime un sourire. Malgré ses airs un peu timides, parfois coincés, Christine est une très belle femme de cinquante ans qui, de l'avis d'Hélène, s'habille et se coiffe trop sagement. *Un relook ferait d'elle un vrai pétard. Mais bon, chacun ses choix.* Et elle se replonge dans le travail.

❧

Ingrid et Olivier sont assis sur le lit, les yeux rivés sur le bâtonnet de plastique qui décidera de leur avenir. Ingrid semble pleine d'assurance au sujet du résultat, mais elle est bien loin de se sentir aussi confiante qu'elle en a l'air. Pourtant, elle veut tellement y croire… Et surtout ne pas vivre la déception d'un résultat négatif. Un autre mois à attendre, à espérer. *Et si, pour nous, ce n'était pas dans les plans de l'univers d'avoir un bébé?* Elle chasse soudainement cette pensée en même temps qu'elle écarquille les yeux. Deux lignes bleues sont apparues. Ingrid n'arrive pas à y croire. Les deux se regardent, fous de joie.

— Oh, Oli!

Olivier la prend dans ses bras avec force. Il est si heureux et, en même temps, il ressent une envie de pleurer. Tout un cocktail d'émotions qu'il peine à comprendre. Le visage enfoui dans les cheveux de sa belle, il la serre tellement fort que celle-ci lui lance à la blague d'y aller mollo, il risque de l'étouffer! Il relâche son étreinte et enchaîne:

— Pis, en plus, c'est aujourd'hui à midi qu'on va savoir si notre offre est acceptée pour la petite maison bleue.

— Je suis certaine que ça va être positif, dit Ingrid avec conviction.

Ingrid regarde encore le bâtonnet, ravie, hypnotisée.

— On en parle à personne avant que j'aie douze semaines de faites.

— Dac.

— Même pas à nos parents.

— Non, confirme Olivier avec fermeté.

— Tu lunches avec ta mère, ce midi. Tu vas pouvoir te retenir de lui dire, hein?

— Aucun problème. Motus.

— Notre vie va être formidable! On va faire au moins trois bébés! Tu me promets?

— Oui, répond Olivier en souriant. Mais on va commencer par en avoir un, OK?

Ingrid, euphorique, se colle contre lui en riant. Olivier voudrait être aussi positif qu'elle. Il a l'impression que les dernières épreuves ont changé, de manière fondamentale, quelque chose en lui. Il n'est plus aussi léger et confiant. Au fond de lui vit encore une peur viscérale que sa vie déraille.

Assis côte à côte au bar du Pub St-Ambroise, Hélène et Olivier prennent un cocktail. Olivier se mord les joues pour ne pas parler de la grossesse d'Ingrid. Il s'informe des discussions de sa mère avec Geoffroy.

— On a rendez-vous demain.

— Crois-tu qu'il va accepter?

— Pourquoi pas? Je trouve que tes idées pour m'assurer de son sérieux sont très bonnes et c'est exactement ça que je vais lui proposer.

— Ah oui, je voulais te dire, j'en ai parlé à Ingrid, pis c'est ce que je pensais: elle a aucune objection. Toute cette affaire-là est bel et bien derrière nous.

Plusieurs années auparavant, l'horreur avait frappé. Alicia, mentalement fragile et victime de ses amours déçues avec Olivier, s'en était prise à Ingrid et avait même tenté de l'étrangler. Plus encore, à son procès pour cet acte violent, Alicia avait attaqué Olivier en le poussant par-dessus une haute rambarde du palais de justice. Alicia était allée en prison pour ces deux méfaits et s'était soumise également à des thérapies. Mais cela appartenait au passé. Désormais, elle était en couple avec Geoffroy et tout le monde reconnaissait qu'elle avait changé.

Ils parlent de tout et de rien durant le repas, mais Hélène qui connaît son fils sent que quelque chose cloche.

— Ça va, Olivier?

— Ben oui, pourquoi tu me demandes ça?

— Je sais pas, un *feeling*. Je te sens fébrile.

— Non, non, il y a rien de spécial.

Un moment de silence passe. Mais Olivier ne peut pas se retenir.

— C'est pas vrai. Il y a quelque chose.

— Me semblait aussi, rétorque Hélène amusée. Tu peux rien cacher à ta mère.

— Mais faut que tu me promettes d'en parler à personne.

— Promis, répond Hélène en levant la main pour jurer solennellement.

— Même pas à Julie. Surtout pas à Julie.

— Ingrid est enceinte, devine Hélène, ravie.

— Oui, mais on s'est juré de rien dire avant qu'elle ait trois mois de faits.

— Je dirai rien, promis. Vous devez être tellement contents.

— On flotte, mais…

— Mais?

— J'ai peur, m'man…

— Peur de perdre le bébé encore?

— Oui, pis que je capote ensuite.

— C'est derrière toi, la dépression, Oli.

— Il y a encore des relents. Je me demande si ça va disparaître un jour.

— Je suis certaine que oui. Je sais que c'est cliché, mais le temps, Oli, arrange bien des choses. Dans les AA, on dit souvent qu'il faut «laisser au temps le temps de faire son temps».

Olivier sourit, réconforté.

❧

À la firme Bouchard, Christine cogne et entre dans le bureau de sa patronne.

— Monsieur Gabriel Delisle est arrivé.

— C'est bon, fais-le entrer, s'il te plaît.

Hélène se lève pour accueillir ce nouveau client et peine à contenir sa surprise en lui tendant la main. Devant elle se tient celui qu'elle a croisé à deux reprises dernièrement. L'homme qui l'a troublée plus qu'elle ne veut bien se l'avouer. Ils s'assoient de part et d'autre du bureau d'Hélène.

— On s'est déjà rencontrés, dit Gabriel.

Mais avant qu'Hélène puisse confirmer leurs récentes rencontres, il poursuit.

— J'avais accompagné ma sœur à son premier rendez-vous pour son divorce.

— Ah bon? répond Hélène qui n'en garde aucun souvenir.

— Ça fait longtemps, quatre ans, Mylène Delisle. Elle avait pleuré sa vie durant tout le rendez-vous. Votre boîte de papiers-mouchoirs y avait passé.

Hélène sourit et se rappelle soudain. Une belle femme qui avait souffert de la trahison de son mari. Oui, ça lui revient maintenant. Elle se rappelle ce frère, très prévenant, qui l'accompagnait. C'est à ce moment-là qu'elle avait vu Gabriel pour la première fois, d'où ce sentiment familier quand elle l'avait revu.

— J'espère qu'elle va bien ?

— Très. Son ex a eu l'élégance de déménager au Texas et elle a un nouveau chum depuis quelques mois. Elle nage dans le bonheur.

— Tant mieux. Et que me vaut l'honneur de votre visite, monsieur Delisle ?

— J'aimerais que vous me représentiez dans ma cause de divorce.

— Avez-vous pensé à la médiation ?

— On a fait ça, il y a un an. Sans succès. J'ai fait affaire avec un autre avocat avant vous et j'ai l'impression qu'il fait traîner les choses. La facture commence à être salée et rien n'est réglé. J'ai perdu confiance. Je veux quelqu'un qui ne soufflera pas sur les braises du litige pour empocher plus d'argent…

— Est-ce que cet avocat est au courant de votre démarche ?

— Il va l'être dès que vous aurez accepté de me défendre.

— Bon. Racontez-moi.

Gabriel expose sa situation. Lui et son ex, Martine, sont séparés depuis deux ans et ont une fille de treize ans, Léa. Cette dernière est en garde partagée, une semaine avec chaque parent, depuis la séparation, mais Martine souhaite avoir la garde complète.

— Pourquoi, puisqu'elle accepte la garde partagée depuis votre séparation ?

— La version officielle : c'est la mère qui doit avoir la garde des enfants. La vraie raison : elle veut gagner sur moi. Un genre de vengeance. J'ai mis fin à la relation simplement parce que notre couple n'allait nulle part. On mérite tous les deux mieux que cette vie mièvre et sans surprise. Martine ne comprend pas ça. Elle l'a très mal pris. J'ai pas de blonde, on se chicanait pas vraiment. Elle se demande pourquoi je veux mettre fin à notre mariage dans ces conditions-là.

Hélène se dit que c'est plutôt rare un homme qui quitte sa femme uniquement parce qu'il souhaite mieux. Ce qu'elle voit surtout dans sa pratique, ce sont des hommes qui partent parce qu'ils sont tombés amoureux d'une autre. Comme s'il avait lu dans ses pensées, Gabriel poursuit.

— Elle ne croyait pas que je puisse partir sans plan B. Je suis pas certain, mais je pense qu'elle m'a espionné pendant un bout de temps, au début. Sans succès. J'ai acheté une maison pas très loin de la résidence familiale dans laquelle elle vit encore. C'est plus facile comme ça pour Léa. La garde de notre fille, c'est le premier litige. L'autre, ça concerne l'entreprise familiale. Ma famille possède le Centre équestre Tarpan depuis trois générations. C'est mon grand-père qui l'a fondé en 1949.

Hélène place les morceaux du puzzle. Mais oui, Tarpan est le plus gros centre équestre de la région, le plus prestigieux aussi, connu et respecté partout au Canada et aux États-Unis. Gabriel explique que Martine souhaite avoir des parts dans le Centre équestre et que, pour lui, c'est hors de question. Le Centre est une affaire de famille pour les Delisle et Martine n'y a jamais participé. Elle déteste les chevaux, en fait.

— Pourquoi ne pas lui offrir une compensation financière?

— J'ai essayé. Elle refuse. Elle veut des parts. Et ça, c'est non. Même si j'étais d'accord, ma sœur et mon frère n'accepteraient jamais. Tarpan, ça appartient aux Delisle. Point barre.

Le troisième point litigieux: la maison qu'il a héritée de ses parents au lac Massawippi. Martine souhaite le partage selon des horaires bien précis, mais Gabriel refuse de croiser son ex dans cette maison. Hélène prend des notes.

— Je me demande encore pourquoi j'ai pas pensé à vous avant d'engager maître Provencher. À la première rencontre, j'ai eu un mauvais *feeling*, mais on me l'avait vanté, décrit comme étant le meilleur dans les causes de divorce.

— Ce qui est totalement faux : c'est moi la meilleure.

Ils rigolent. Gabriel regarde Hélène directement dans les yeux.

— Je suis pas fervente de reprendre des dossiers de confrères, mais...

— Mais vous allez passer par-dessus et prendre ma cause, n'est-ce pas ?

Encore ce regard planté dans le sien. Gabriel ajoute que c'est sa sœur Mylène qui lui a rappelé à quel point Hélène avait mené son divorce de main de maître.

— Alors ? demande Gabriel.

— C'est d'accord.

— Oh, merci ! Je suis tellement soulagé.

— Vous aviez l'air sûr que j'accepterais, pourtant.

— C'est un air que je me donnais. Pour vous impressionner.

Tous deux conviennent qu'Hélène téléphonera à maître Provencher quand Gabriel l'aura avisé de sa décision. Dès que la porte se referme sur son nouveau client, Hélène fait quelques pas dans son bureau pour relâcher la tension, plutôt agréable, que cette rencontre lui a fait vivre.

Ingrid n'a pu se retenir d'aller au magasin pour enfants. Acheter un vêtement, ça marque le début officiel d'une nouvelle vie. Une fois qu'on a ça, rien de mauvais ne peut arriver, n'est-ce pas ? En regardant la grenouillère jaune pâle – de la même teinte que la chambre de la petite maison bleue –, elle se convainc que ce vêtement va conjurer le mauvais sort. Elle avait résisté à le faire, la dernière fois, en se disant que c'était puéril de magasiner alors qu'elle n'était enceinte que de quelques semaines. Aujourd'hui, elle met toutes les chances de son côté.

En attendant à la caisse, elle tente de repousser les souvenirs de cette première grossesse ratée. Les crampes horribles au milieu de la nuit, l'affreux pressentiment qu'elle avait eu à ce moment-là que cette nouvelle vie allait disparaître. Puis le déni : ça ne pouvait pas lui arriver à elle. Tout lui réussit, son père le dit tout le temps. Mais cette fois, non. À l'hôpital, on avait confirmé le décès du fœtus et elle avait dû attendre jusqu'au matin pour qu'on pratique le curetage. Puis le retour au condo, le ventre vide. Elle en frissonne encore. Elle se secoue. Ce bébé-là n'avait pas ce qu'il fallait pour survivre. Celui qu'elle porte en ce moment, oui ! Elle le sent très fort.

— Oh, quel bon choix ! Ça vient juste d'arriver, s'exclame la caissière en prenant la grenouillère. C'est pour quand ?

Gabriel n'a pas traîné. À peine une heure après son départ, maître Provencher est averti. Hélène décide de passer ce coup de fil sans attendre. Elle soupçonne que ce sera un mauvais moment à passer et elle n'a pas tort. Hélène n'a rencontré ce confrère qu'une fois ou deux et il lui a laissé le souvenir d'un être un peu trop satisfait de lui-même. Il est connu pour être un avocat dur, sans filtre et un peu misogyne. Dès les premières phrases, Hélène comprend qu'il sera à la hauteur de sa réputation.

— Tiens, tiens, la sauveuse, lance-t-il à brûle-pourpoint.

Elle tente de rester professionnelle, mais Provencher n'en a cure.

— Tu sais pas dans quoi tu t'embarques.

— Je vous contacte simplement pour vous demander de me faire suivre le dossier.

— Pour ça, t'aurais pu demander à ta secrétaire d'appeler la mienne.

— Dans des cas de transfert comme celui-ci, je préfère parler de vive voix pour éviter tout malentendu.

— Relaxe. Tout est clair. Tu me voles mon client. C'est correct. Ça m'arrive à moi aussi, tsé.

— C'est monsieur Delisle qui…

— Sais-tu quoi? Tu peux le prendre. Ça me fait pas un pli. Ce dossier-là est pas réglé parce que Delisle est un *control freak*.

— Dans quel sens?

— T'en connais-tu ben des gars, toi, qui veulent prévoir les dates de vacances de Noël et d'été cinq ans à l'avance?

— Ah bon.

— Cinq ans, ostie de malade. C'est sûr que sa femme résiste. Pis c'est de même sur plein d'autres détails. *Anyway*, tout est dans le dossier. T'as juste à le lire. Envoie un messager, ça va être prêt à la réception. Bye, ma chouette. Bonne chance en ostie.

Il raccroche sans plus attendre. Hélène reste avec l'appareil dans les mains, un peu abasourdie. A-t-elle fait une gaffe en acceptant ce dossier?

Olivier ouvre la porte à Mario, venu leur donner la réponse du vendeur de la petite maison bleue. L'agent d'immeubles n'a rien voulu dire au téléphone et entre avec un visage neutre. Olivier et Ingrid sont fébriles et ne tiennent plus en place. Mario regarde les deux jeunes et ménage son effet.

— Bon. Je vous le dis sans plus attendre…

— Mariooooo! glapit Ingrid. On n'en peut plus. Pis?

— Votre offre est acceptée au prix que vous avez offert: 200 000 $ dit Mario avec un grand sourire.

Ingrid et Olivier se tombent dans les bras. Ingrid regarde son mari.

— Je te l'avais dit que ça marcherait.

— Les prochaines étapes: l'hypothèque et l'inspection, précise Mario

— On rencontre la banque aujourd'hui.

Mario leur fait signer les documents et repart. Aussitôt, le jeune couple sort papier et crayons. C'est l'heure des plans et des listes.

— Faisons la liste des travaux par ordre de priorité, dit Olivier. On pourra pas tout faire tout de suite.

— Faut donner 20 % de *cash down* qu'on va prendre sur l'héritage de grand-maman Florence, pis le 10 000 $ qui reste, on va pouvoir en utiliser une partie pour les rénos.

— Pis si maman vend le café à Geoffroy, ça fera encore plus.

Quelques années plus tôt, Ingrid et ses frères, Brian et Frédérick, avaient reçu chacun 50 000 $ en héritage de la mère de Julie. Ils furent d'abord très mal à l'aise avec cet argent parce que Julie n'avait rien eu. Florence, dans un dernier geste de dépit, avait déshérité sa fille au profit de ses petits-enfants.

Olivier repousse un sentiment d'insécurité qu'il sent poindre. C'est beaucoup de responsabilités qui s'ajoutent rapidement. Mais il ne veut pas se laisser aller à ses peurs. Il veut montrer à Ingrid qu'il est totalement remis de sa dépression, qu'il est redevenu son homme fort.

Le bébé : check *! La maison :* check *!* pense-t-il. *Maintenant, faut que je règle mes affaires avec Théo.*

Ce matin-là, Hélène regarde l'heure à plusieurs reprises. Son rendez-vous avec Gabriel Delisle est à 11 h 30 et elle se surprend à attendre son arrivée avec impatience et fébrilité. Et ça l'agace. Elle se sent comme une adolescente. Ce n'est qu'un client parmi d'autres, après tout. Oui, il est séduisant, oui, il est charmant et beau, mais elle ne veut pas s'émouvoir pour un homme, pas maintenant.

À 11 h 30 pile, Christine l'avertit que Gabriel est arrivé. Un homme ponctuel, elle aime ça. Gabriel entre, tout sourire. Hélène se sent rougir. Elle se lève pour l'accueillir et retourne derrière son bureau. Elle avale machinalement une gorgée de café.

Hélène prend le dossier de Gabriel et le dépose devant elle.

— Maître Provencher m'a fait parvenir votre dossier. Je l'ai parcouru et j'ai des questions.

— Allez-y. Je suis prêt !

Au fil de cette conversation, Hélène en apprend davantage sur Gabriel et sa famille. Sa fille Léa est une perfectionniste, au point où elle a dû consulter au début de son école primaire tant ses performances la stressaient. Aujourd'hui, à treize ans, elle décroche encore des notes bien au-dessus de la moyenne, mais elle a appris à ne plus avoir d'attentes démesurées. Bien sûr, elle a eu de la peine quand ses parents se sont séparés, mais elle s'est adaptée à sa nouvelle vie en garde partagée. Léa est une fille gentille et douce, mais aussi secrète et têtue.

— Je suis obligé d'avouer que son entêtement vient de ses gènes paternels.

— Vous êtes comme ça, vous? demande Hélène avec un sourire en coin.

— Une vraie tête de cochon!

— J'en prends bonne note.

Ils se sourient. L'atmosphère est détendue, Hélène se sent bien en compagnie de cet homme.

— En ce qui concerne Léa, c'est pas mal ça. La grande peine que j'ai, c'est que sa mère lui a communiqué sa peur des chevaux.

— Oh, que c'est dommage, compatit Hélène.

— Je gagne ma vie avec les chevaux, c'est ma grande passion. Ça m'attriste de penser que je partagerai pas ça avec ma propre fille.

— Elle peut changer.

— Oui, répond Gabriel sans conviction. J'ai réussi à la convaincre de monter une fois par mois. Mais elle le fait sans grand enthousiasme.

— C'est déjà ça, répond Hélène.

Gabriel reste silencieux un moment.

— Vous, maître Bouchard, aimez-vous les chevaux?

— Beaucoup. Je monte deux à trois fois par semaine.

— Sans blague? s'étonne Gabriel.

— Oui. J'ai mon Hélios en pension au centre équestre Val-Bleu.

— J'étais justement là, la semaine passée. Je suis allé chercher une bête magnifique.

— Un Colorado Rangerbred. Je sais, j'étais là.

Cette fois, Gabriel est bouche bée. Hélène rigole.

— Ah, ah! Là, je vous surprends, pas vrai?

Gabriel en convient et les voilà qui causent chevaux pendant près d'une demi-heure. Hélène parle de son Hélios avec passion et beaucoup d'affection. Elle explique, sans donner de détails, que ce cheval l'a soutenue de manière tout à fait inattendue lorsqu'elle a vécu un coup dur. Gabriel acquiesce, compréhensif.

À son tour, Gabriel lui confie que chaque moment passé avec ses chevaux, depuis qu'il est tout petit, le fait se sentir sur son «x», comme il dit. Il lui confie que sa relation avec son père était conflictuelle, sauf quand ils étaient dans l'écurie. Hélène se dit qu'elle aimerait bien faire une balade équestre sur son chemin forestier préféré avec Gabriel. *Mais qu'est-ce que tu fais là, Hélène Bouchard? C'est une rencontre professionnelle, c'est un client en instance de divorce! Secoue-toi!* Consciencieuse, elle remet la conversation sur les rails pour conclure la rencontre. Gabriel précise ses intentions.

— Je ne veux pas de guerre avec Martine. Je suis prêt à faire bien des concessions matérielles, mais ses trois demandes, celles qui font achopper le divorce, sont inacceptables. Va falloir qu'elle bouge. Je ne laisserai pas ma fille à sa garde totale, je ne lui donnerai pas des parts dans le Centre et je ne partagerai pas la maison du lac Massawippi.

— Je vais avoir une conversation avec l'avocat de Mme Beauregard et on se reparle.

Gabriel quitte le bureau. Christine entre peu après avec une pile de chèques à signer.

— Hey, ça, c'est un bel homme, toujours bien vêtu, pas vrai maître Bouchard?

— Oui, oui, acquiesce Hélène, faussement distraite.

— Faites-moi pas croire que vous avez pas remarqué. D'après moi, il vous trouve de son goût, parce que…

— Christine, franchement, rétorque Hélène, réprobatrice et se sentant un peu coupable de penser exactement la même chose.

Christine se confond aussitôt en excuses. Hélène la fait cesser d'un geste impatient de la main et prend les chèques.

❧

Olivier regarde le directeur financier de la banque, penché sur son dossier. Il a un mauvais *feeling*. Celui avec lequel il faisait affaire depuis des années a été muté dans une autre succursale. Celui-là est nouveau et le courant passe mal entre eux.

— Il va falloir mettre plus que 20 % de mise de fonds, monsieur Brabant.

— Pourquoi ? s'étonne Olivier. On a besoin du reste de notre argent pour faire des rénos. C'est quoi, là ?

— C'est à cause de votre situation financière.

— Ah bon. Je la trouve plutôt bonne notre situation, moi.

— Vous avez été en arrêt de travail pendant plusieurs mois.

— Mais j'avais un revenu quand même.

— Cinquante pour cent seulement et votre femme est travailleuse autonome. Le total de ses revenus…

— Ça fait même pas un an qu'elle a commencé.

— Exactement. Pour toutes ces raisons, nous considérons que ça vous prend au moins 30 %.

Olivier réprime mal un mouvement d'agacement et de frustration.

— Je trouve ça un peu poche cette demande-là, pour tout vous dire. Vous le savez qu'on est fiables. Regardez notre dossier. Toutes nos affaires sont ici depuis des années. Celles de mon entreprise DuoBuzzz aussi.

— Prenez-le pas personnellement, monsieur, c'est juste que…

— Comment vous voulez que je le prenne ?

— On a des règles à suivre, des ratios à respecter.

Olivier se lève. Il sent la colère gronder en lui et il préfère partir plutôt que de dire des choses qu'il va regretter plus tard. Il a appris à maîtriser ses mouvements d'humeur.

— Je vais en parler avec Ingrid et on vous rappelle.

Il se dirige aussitôt vers la porte sous le regard impassible du directeur.

Malgré toutes ses bonnes résolutions de garder ça pour elle, de faire comme si Gabriel n'était qu'un client comme les autres, Hélène n'a pas pu s'empêcher d'en parler avec Julie. Elle avait besoin de se confier. Elle téléphone à son amie et l'attrape alors que cette dernière est en route pour un congrès à Québec. Elles papotent un moment, puis Hélène parle de son dilemme concernant « un nouveau client ».

— Non, non ! Il s'est rien passé. Pis il se passera rien non plus.

— Il t'a fait des avances ? demande Julie.

— Euh… non.

— Il n'y a pas de problème, alors.

— Ben non, rétorque Hélène d'un ton faussement léger. Absolument aucun problème.

Mais Julie connaît bien son amie et ce ton l'intrigue.

— OK, crache le morceau, lance Julie.

— Hein ? Pourquoi tu dis ça ?

Hélène a beau louvoyer et tenter d'esquiver les questions de Julie, cette dernière est tenace.

— J'aurais jamais dû te téléphoner, lâche Hélène, découragée.

— Mais t'as appelé… Inconsciemment, tu voulais en parler.

— N'importe quoi, répond Hélène, sachant très bien que son amie a raison.

— C'est quoi, l'affaire ?

— C'est la première fois, depuis Étienne, que je ressens une attirance pour quelqu'un, plonge Hélène.

— Une attirance?

— Une méga-attirance. Je suis certaine que je rougis quand il entre dans mon bureau.

— Sans blague! C'est qui?

— Gabriel Delisle, un des proprios du Centre équestre Tarpan.

— Le plus vieux ou le plus jeune de la famille? demande Julie qui connaît le clan Delisle.

— Le plus jeune des trois.

— Oh, mon dieu. Le jackpot, toi! s'exclame Julie.

— Il est beau, hein? répond Hélène, toute timide tout à coup.

— Un pétard! Pis lui, de son côté?

— Rien. Il est gentil mais, franchement, tout se passe dans ma tête.

— T'es sûre de ça?

— Presque. Pis c'est ben mieux de même.

— Vérifie.

— Pas question. Pas tant qu'il est mon client.

— Dépêche-toi de finaliser le divorce, alors. Quand il sera plus ton client, t'auras le champ libre.

— Sans doute.

Dans le combiné, Hélène entend Julie faire un bizarre de couinement.

— C'est quoi ça? demande Hélène, amusée.

— C'est moi qui te fais un gros câlin à distance, parce que je suis heureuse que tu revives enfin.

❧

Hélène est penchée sur le dossier Delisle-Beauregard. Hugo et Christine sont partis depuis longtemps. La noirceur crée un cocon calme et agréable, propice à la concentration. En relisant minutieusement les notes, elle réalise que Martine est la collègue de travail de Réjanne. Sans trop savoir pourquoi, ça la met mal à l'aise. Elles ont évoqué l'ex de Martine à leur dernier souper de filles. Ça fait bizarre de penser que c'était de Gabriel qu'elles parlaient.

De plus – il en a lui-même convenu –, Gabriel est buté et elle en a plusieurs preuves, maintenant. Des notes indiquent que Gabriel a refusé de discuter certains aspects en litige, qu'il a quitté les rencontres, excédé. Il n'aime visiblement pas quand les choses ne roulent pas à sa manière. Elle comprend aussi pourquoi Maître Provencher le traite de *control freak*. Gabriel Delisle semble avoir besoin de sentir qu'il a les situations bien en main et il manque parfois de souplesse.

Hélène s'appuie contre le dossier de sa chaise et repense à sa conversation avec Julie. Si elle est totalement franche avec elle-même, elle est obligée d'avouer qu'il lui fait de l'effet. Pas mal d'effet. *Mais non, pas question. Le grand amour de ma vie, c'est Étienne. Et ça fait seulement deux ans qu'il est parti. En plus, je suis si bien toute seule. Oh que non, j'ai pas le goût de m'engager avec un homme...* Il aime les chevaux, lui aussi. Il a une assurance tranquille qui lui plaît beaucoup. Elle a beau se semoncer, ses pensées reviennent malgré elle vers Gabriel, son humour, ses yeux, ses mains. *Non. Arrête ça tout de suite!* Hélène ferme le dossier et commence à ranger sa paperasse avant de partir. Il est l'heure de rentrer.

❦

Olivier revient à la maison d'humeur massacrante. Il a attendu Théo jusqu'à 21 h 30 en vain. Ce dernier devait repasser par le bureau en fin de soirée pour qu'ils puissent enfin discuter, mais il a changé d'idée à la dernière minute. Olivier, qui attendait depuis deux heures, s'est montré impatient et leur conversation téléphonique a tourné au vinaigre.

Et il y a la banque aussi. Olivier fait part à Ingrid de la demande. Ingrid se montre plus accommodante.

— On n'a pas le choix : on va mettre la totalité de l'héritage de Florence pis une partie de nos économies dans la mise de fonds.

— Une grosse partie, précise Olivier.

— Ben oui.

— Il restera plus grand-chose pour faire des travaux.

— Tant pis, les rénos attendront. Je la veux cette maison-là.

— Moi aussi.

— On va-tu se coucher ? Je suis fatiguée morte.

Ils vont vers la chambre, bras dessus bras dessous. Olivier se sent déjà moins grognon. Elle a cet effet-là sur lui, sa belle Ingrid.

❧

Comme ça lui arrive trop souvent (Étienne la chicanait régulièrement à ce sujet), Hélène n'a pas soupé, trop prise dans son travail. Il est maintenant 22 h 30 et elle est affamée. Rien de très alléchant dans le garde-manger. Elle n'a encore et toujours aucun talent culinaire et son frigo ressemble à celui d'un jeune adulte dans son premier appart : du lait, un oignon racorni, des condiments dans la porte. Elle se sert un bol de céréales, un classique, et va s'asseoir à l'îlot. Gabriel est encore dans ses pensées et ça l'agace souverainement. Elle se lève et décide d'aller assister à une réunion des AA. Ça lui fera le plus grand bien.

Assise dans le sous-sol de l'église où elle a commencé son rétablissement, il y a plusieurs années, elle écoute le partage d'un autre alcoolique comme elle lorsqu'elle a soudain une idée, LA solution pour que Gabriel sorte de sa vie et qu'elle retrouve son calme. Ouf. *Bon flash Hélène !* Elle se félicite une fois de plus d'avoir pensé à se rendre à un *meeting*.

CHAPITRE 3

Gabriel force la porte du bureau d'Hélène malgré les protestations outrées de Christine. Il est devant elle, vraiment pas ravi. D'un geste un peu figé, Hélène fait signe à Christine de les laisser seuls.

— C'est quoi cette histoire? lance-t-il sans attendre.

— Je vous ai avisé que...

Gabriel la coupe.

— Vous parlez du courriel que j'ai reçu hier?

— Et de l'appel téléphonique à votre bureau chez Tarpan.

— C'est inacceptable! Vous me virez comme ça, sans qu'on en discute! J'en reviens juste pas.

— Vous «virer»? Pas du tout. Vous restez chez nous, monsieur Delisle. C'est seulement que maître Daoust, mon associé, va prendre le relais. Lui et moi, on se consulte sur tous nos dossiers. Je suis débordée... Vous serez beaucoup mieux servi par lui.

— C'est vous que je veux. Si j'avais voulu quelqu'un d'autre, je serais allé dans un autre cabinet. Je me ferai pas défendre par un stagiaire...

— Là, je vous arrête, maître Daoust est un excellent avocat, beaucoup plus disponible que moi, en plus.

— C'est vous qui allez me défendre ou je vais ailleurs, tranche Gabriel.

Il s'assoit, croise les bras et attend. Hélène le regarde. Elle ne s'attendait pas à une telle réaction. Après un court instant, elle s'assoit à son tour et fait une ultime tentative.

— Monsieur Delisle, laissez-moi au moins vous expliquer…

— Maître Bouchard, quand vous me connaîtrez mieux, vous comprendrez qu'essayer de me mettre devant le fait accompli est toujours une stratégie perdante avec moi. Je déteste qu'on change mes plans comme ça.

— Votre plan, c'est de mener vos procédures de divorce à terme, non?

— Et d'être défendu par vous. Je veux une femme pour me défendre. Je vous veux, vous.

Hélène tique sur cette dernière phrase. Est-ce son imagination ou s'il y a un double sens? Elle jette un regard au visage buté de Gabriel. Non, elle s'imagine des choses. *Il ne souhaite qu'une relation professionnelle.* De quoi a-t-elle si peur? Il n'y a absolument rien entre eux, si ce n'est quelques conversations agréables comme on peut en avoir avec n'importe quelle relation de travail.

— Maître Bouchard, ça va bien jusqu'ici. C'est quoi cette idée de vouloir changer une formule gagnante?

— Bon, d'accord. Je vais continuer.

Gabriel semble très soulagé. *Trop?*

— Excellente nouvelle!

— Vous êtes tenace.

— Et têtu. Je vous l'avais dit que j'avais une tête de cochon.

— Et votre ancien avocat m'a aussi dit… Non, non, laissez faire.

— Que je suis *control freak.* Je le sais. S'il ne l'a pas dit vingt fois, il ne l'a pas dit une fois. Moi, je dirais plutôt perfectionniste. Dans le métier que je fais, c'est une qualité essentielle.

Gabriel sourit et poursuit.

— On m'avait pas dit que vous écoutiez les ragots sur vos clients.

Hélène sourit aussi et réplique du tac au tac.

— Je suis circonspecte. Dans le métier que je fais, c'est une qualité essentielle.

Gabriel est resté plus d'une heure dans son bureau. Maintenant qu'il est parti, Hélène se demande comment il a réussi à la faire changer d'idée. Elle était pourtant en paix avec cette décision, sage et mesurée, de passer le dossier à Hugo. Mais, une fois en face de Gabriel, sa volonté a fléchi. Elle, pourtant pondérée et rationnelle, perd tout sens commun quand il est là. *Tu joues avec le feu, Hélène Bouchard. Tu espères quoi exactement? C'est un client.* Hélène a une règle stricte, qu'elle a toujours respectée, même quand elle était au plus creux de son alcoolisme : pas d'histoire avec les clients, ni d'amour ni de sexe. Point barre. Ce n'est pas avec lui qu'elle va la transgresser. *Je resterai professionnelle en tout point. Comme toujours. Je ne suis pas une adolescente. Je peux très bien contrôler mes élans. Allez, maître Bouchard, assez perdu de temps. Au travail!* Hélène entend à peine la petite voix qui lui dit qu'elle fait l'autruche.

Olivier est plongé dans des calculs depuis plus d'une heure. Il est de plus en plus découragé. Installée à son ordi, Ingrid l'observe du coin de l'œil pendant qu'elle met fin à un montage d'une vidéo publicitaire pour un client.

— À cause de la maudite banque, on est obligés de tout changer nos plans de rénos.

— On le sait ça, Oli. Ça fait des jours qu'on est au courant.

— Ils font chier. Les osties de banques… Je te dis que ça prend pas grand risque. En fait, ils prennent aucun *fucking* risque. Quand t'as plein de fric, là, ils sont prêts à te faire un prêt. Pis en plus, ce qui m'écœure, c'est qu'on est même pas un risque. On est super à notre affaire, pis ils le savent.

Ingrid réprime un soupir. Ça fait dix fois qu'Olivier lui sert ce discours. Elle n'a pas envie de répondre. Olivier poursuit sur sa lancée. De l'attaque envers la banque, il passe à l'apitoiement.

— C'est de ma faute aussi.

— Pourquoi tu dis ça? répond Ingrid, légèrement agacée.

— C'est à cause de ma dépression que tout déraille.

— Ben là, Oli... T'as quand même pas fait exprès.

— Non, mais j'aurais pas dû arrêter complètement de travailler.

— Recommence pas avec ça. C'est derrière nous.

— Peut-être, mais on en paie encore le prix. Ça va nous suivre pendant des années, tu vas voir.

Ingrid ne peut s'empêcher de réagir à cette attitude défaitiste de son mari.

— Ahhhhh...

— Quoi?

— Rien, laisse faire, renonce Ingrid.

Olivier n'insiste pas, tout à ses listes.

— J'ai écrit ce qu'on peut faire. Tu vas voir que c'est pas grand-chose. C'est même pas le quart de ce qu'on voulait faire au début. Ostie que c'est chiant.

Encore la même litanie. Ingrid lève les yeux au ciel et reprend son travail.

✣

Au repas, Ingrid est particulièrement silencieuse et ça étonne Oli.

— Ça va pas? lui demande-t-il.

— Non, non.

Puis elle se dit qu'elle n'évitera pas éternellement cette discussion qu'elle se promet d'avoir avec lui depuis un moment.

— Non, ça va pas, Oli, affirme-t-elle résolument.

— Hein? Pourquoi? Tu files pas? Le bébé...

— Non, non. Moi je vais bien. C'est toi.

— Quoi, moi?

— Faut que tu arrêtes de te plaindre tout le temps.

— Hein? dit Olivier sortant des nues.

— Tu chialottes toujours contre tout. Tu te plains, personne est jamais correct.

— Parce que j'ai parlé de la banque ce matin? Ben là, avoue quand même que…

— Ce matin, c'était la banque, hier, la fille à l'épicerie, avant-hier, c'était encore autre chose… T'es toujours en train de te plaindre de quelque chose ou de quelqu'un. C'est gossant. Faut que tu arrêtes ça.

Olivier est piqué.

— OK, ça fait qu'il faut plus que je parle.

Ingrid soupire. Olivier poursuit.

— Peu importe comment les gens nous traitent, il faut sourire pis faire comme si tout était OK. C'est ça?

— Non. Dis pas n'importe quoi, là. T'as le droit de réagir quand ça va pas. C'est de continuer à en parler sans cesse après qui est épuisant. L'affaire qui a duré dix minutes finit par durer des jours.

— T'es ma femme pis je peux plus te parler de ce qui me fatigue. C'est vraiment le fun, ajoute-t-il ironique.

— Exactement, je suis ta blonde, pas le bureau des plaintes.

— Wow, ça, c'est super gentil, renchérit-il sur le même ton.

Ingrid essaie de conclure, le plus gentiment possible.

— T'as toujours eu un p'tit côté victime mais, depuis ta dépression, c'est pire que pire. Faut juste que tu fasses attention.

À voir le visage d'Olivier, elle comprend qu'elle a raté son coup. Maintenant, il est vraiment vexé.

— Me remettre ma dépression sur le nez, c'est un coup bas, Ingrid. Je pense que je vais aller prendre l'air.

— Oli, attends… Je me suis peut-être mal exprimée…

Olivier est déjà à la porte et il sort sans répondre, sans même se retourner. Ingrid soupire. Elle l'aime profondément, son homme, mais il doit vraiment corriger son vilain défaut.

Cela fait presque un mois qu'Hélène planche sur le dossier Delisle. Assis dans la salle de conférences avec tous les papiers étendus sur la grande table, Gabriel et elle font le point sur les trois éléments qui achoppent dans la cause de divorce. En ce qui concerne le droit de garde de Léa, Gabriel est inflexible, il n'acceptera rien de moins que la garde partagée. Pour ce qui est de Tarpan, sa sœur aînée prend sa retraite de la compagnie familiale et ils vont revoir la distribution des parts. C'est hors de question que Martine soit dans ce *deal*. Elle a toujours détesté les chevaux, n'a jamais contribué à l'expansion de l'écurie. Il ne peut raisonnablement pas donner des parts de l'entreprise familiale à son ex-femme. C'est ridicule. Même l'épouse de son frère n'en a pas et ils sont mariés depuis trente-deux ans !

— Et la maison au lac Massawippi ? s'enquiert Hélène.

— J'en ai hérité de mes parents. Pas question de la partager avec elle.

— Autrement dit, vous n'avez l'intention de bouger sur aucun des points litigieux.

Silence. Gabriel réfléchit à sa réponse.

— Dit comme ça, c'est certain que j'ai l'air de rien vouloir céder, mais…

— Mais c'est quand même ça. C'est un argument qui revient souvent dans la bouche de ma consœur, maître Veilleux, qui défend votre femme.

— Avouez quand même, maître Bouchard, que ses demandes sont déraisonnables.

— Il faudra voir les choses autrement si on veut arriver à un règlement.

— Franchement, je vois pas trop comment…

Pour appuyer son point de vue, Gabriel raconte à Hélène les débuts de Tarpan, puis la conversation dévie sur des sujets plus personnels. Hélène apprend que Gabriel est vétérinaire et que, d'aussi loin qu'il se souvienne, ils ont eu des animaux de toutes sortes à la maison. Il rigole à ce souvenir.

— Pour vrai, il y a pas de petite bête qui soit pas entrée dans la maison quand j'étais jeune : chiens, chats, raton laveur, urubu blessé, couleuvre, mulots, grenouille, un bébé renard une fois. Sauf des rats. Ça, les rats, ma mère était catégorique : c'était non.

— Ouache ! J'espère ! s'exclame Hélène.

Gabriel a su à onze ans qu'il serait vétérinaire, le jour où il n'a pas pu sauver son chien qui s'était fait frapper par une auto. Hélène se dit que ces confidences ne l'aident pas à rester dans le domaine professionnel, mais il raconte divinement et elle n'a pas envie qu'il s'arrête. Il y a de l'électricité dans l'air. Hélène le sent et se dit pour la première fois que cette attirance qu'elle ressent pour lui est sans doute partagée. Ils ont plein d'intérêts en commun : les chevaux et les bons restos, entre autres. Tout en parlant, Gabriel sort son téléphone cellulaire et montre des photos de Léa à Hélène.

— Oh, qu'elle est mignonne.

— Oui !

Gabriel regarde, sans doute pour la millième fois, cette photo de sa fillette, sourire aux lèvres. Ce qu'Hélène lit sur son visage lui fait penser à Étienne et à Olivier. Le même genre d'amour inconditionnel les unissait, eux aussi.

On cogne à la porte du bureau.

— Votre prochain rendez-vous est arrivé, annonce Christine avec une pointe de reproche.

Hélène conclut la rencontre avec Gabriel en lui rappelant qu'il devra jeter du lest s'il veut avancer.

— Martine aussi ! lance Gabriel, buté.

Olivier revient au condo, visiblement de bien meilleure humeur qu'à son départ, quelques heures auparavant. Ingrid le regarde et s'informe prudemment.

— Ça va mieux ?

— Oui, je suis allé m'entraîner.

— Tout ce temps-là ?

— Oui, je voulais faire sortir le méchant.

— Pis ?

— Il ne reste plus une once de négatif en moi.

Ils se sourient.

— Je comprends ce que tu veux dire, Ingrid. Je vais faire des efforts. Promis.

— Je suis désolée pour l'allusion à ta dépression. C'était pas très délicat.

Ils s'embrassent. C'est une grande force qu'ils ont de pouvoir faire des retours sur eux-mêmes, de reconnaître leurs torts et de faire la paix. Les deux en sont conscients. Le regard qu'ils échangent après leur baiser dit tout ça. Olivier reprend.

— Pour la maison, on va très bien s'arranger avec ce qu'on a.

— Oui, réplique Ingrid avec chaleur.

— La vie est bonne avec nous malgré tout, pas vrai ?

— Mets-en, renchérit Ingrid. On est déjà super chanceux de pouvoir s'acheter une maison, on manque de rien, on attend un bébé…

— Merci, ma belle blonde. Sans toi, je verrais tout en noir, dit Olivier en la serrant dans ses bras.

Hélène est penchée sur un dossier épineux depuis des heures. La dernière fois qu'elle a levé la tête, c'est quand Christine est venue la saluer à son départ à 17 h. Elle jette un œil sur son téléphone : 20 h 10. Assez pour ce soir. En rangeant ses choses, elle repense à sa conversation avec Geoffroy, la veille. Elle est heureuse et surtout soulagée qu'il ait accepté ses conditions avant qu'elle lui vende le Café Vert. Geoffroy va donc faire un dépôt en argent pour montrer son sérieux et il va travailler au Café trois mois. Si tout va bien après ce délai, il deviendra le nouveau proprio du Café Vert. *Si ça marche, c'est la meilleure relève pour le café d'Étienne.* Elle agrippe son téléphone, son sac à main, puis sort. En arrivant sur le trottoir, elle tombe face à face avec Gabriel.

— Monsieur Delisle, qu'est-ce que vous faites là? Il se passe quelque chose?

Gabriel s'approche en souriant.

— Non, non. J'ai fini tard, moi aussi. Comme je passais ici, j'ai vu de la lumière dans votre bureau. Je me suis dit que vous seriez dans le même état que moi.

— C'est-à-dire?

— Crevée et n'ayant aucunement le goût de rentrer et de préparer un repas.

Hélène sourit malgré elle. Elle ne lui dit pas que le goût de cuisiner est un concept qui lui est étranger.

— Je vous invite à manger? demande-t-il.

— Euh...

Hélène hésite. Elle ne devrait pas accepter cette invitation, bien sûr. Mais le sourire de Gabriel est invitant et, oui, elle est vannée. *Allez, Hélène, pourquoi pas? Un souper au resto, c'est pas une « date ». Accepte sans faire de chichis.*

— OK, mais quelque chose de rapide, d'accord? J'ai un procès demain matin.

— J'ai déjà réservé au MacIntosh.

— Monsieur est sûr de lui.

— Non, non. Ne me croyez pas aussi présomptueux. J'y serais allé seul si vous aviez refusé. Mais je suis vraiment content que vous acceptiez.

Ils commencent à marcher en direction du restaurant qui est à quelques rues du bureau d'Hélène.

— Je pense qu'on pourrait se tutoyer, maintenant. Qu'en pensez-vous? Je suis certain que vous ne vouvoyez pas tous vos clients.

— Pas tous, non.

— C'est bon? On se dit « tu »?

Ils sont installés à une table du MacIntosh, un peu à l'écart des autres clients. Gabriel a été surpris de voir qu'Hélène ne boit pas de vin.

— Est-ce indiscret de te demander pourquoi?

C'est cette question, pensera-t-elle plus tard, qui a ouvert la porte à cette conversation très personnelle qu'ils ont eue tout au long du repas. Hélène explique tout naturellement les circonstances l'ayant amenée, il y a sept ans, à stopper toute consommation d'alcool: cet accident d'auto ayant rendu une femme handicapée. Elle se surprend à parler d'Olivier, de son éloignement à l'adolescence, de leur relation maintenant devenue tellement riche. À son tour, Gabriel se confie sur sa fille.

— Je trouve qu'elle est plus secrète, dernièrement. On est très proches tous les deux, on l'a toujours été. Ça m'inquiète un peu cette distance.

— Elle a quel âge, déjà?

— Treize ans.

— C'est juste normal. C'est l'adolescence qui s'en vient.

— Je sais, mais… Des fois, je l'observe quand elle regarde les gens. Elle a un visage tellement sérieux, tellement… je sais pas trop comment décrire ce que je ressens.

— Tu serais pas un peu papa-poule?

— Un peu, convient Gabriel dans un sourire.

— C'est normal qu'elle soit plus discrète. C'est le contraire qui le serait pas. Elle va s'éloigner un peu et tu vas la retrouver plus tard. C'est sain que les ados s'opposent à leurs parents. En as-tu parlé avec ton ex? Est-ce qu'elle est du même avis?

— Martine veut pas parler de ça avec moi.

— Ah.

— Elle veut me punir, poursuit Gabriel.

Le repas arrive et la conversation se poursuit sur une note plus légère. Il la fait rire et elle réalise qu'elle n'a pas rigolé comme ça depuis très longtemps. Il aime l'architecture, le cinéma, et il regarde les mêmes séries télé qu'elle.

— Il y a quelques années, je suis arrivée à un procès avec deux heures de sommeil dans le corps à cause de *Six Feet Under*, confie Hélène.

— Dis-le à personne mais j'ai passé la nuit debout pour écouter la fin de la saison 7 de *Game of Thrones*. J'assistais à un encan de chevaux le lendemain. Mettons que j'étais un peu déconcentré.

La conversation est tantôt légère, tantôt profonde. Ça lui rappelle ses entretiens avec Étienne. Gabriel a des valeurs qui lui plaisent beaucoup : son amour des animaux, sa capacité à se mettre en doute malgré sa tête de cochon, comme il le dit lui-même, sa volonté de vivre au présent, son humour. Quand Hélène regarde l'heure pour la première fois, il est 22 h 45.

— Faut que j'y aille ! J'ai vraiment pas vu le temps passer.

— Bon point pour moi, ça.

Hélène ne relève pas.

Vu l'heure tardive, Gabriel a insisté pour venir la reconduire en auto. Ils sont maintenant arrêtés devant la maison.

— Merci beaucoup, Gabriel. J'ai passé un très bon moment.

— Moi aussi, répond Gabriel d'un air sérieux. Vraiment.

Ils se regardent. Hélène frissonne. Le courant entre eux les électrise. Hélène le voit s'approcher. Elle sait ce qui s'en vient et ne peut pas y résister. La bouche de Gabriel contre la sienne. *Oh, que c'est bon...* Ils s'abandonnent tous les deux à ce baiser, d'abord doux et sensuel puis de plus en plus passionné. Une alarme sonne dans la tête d'Hélène. *Non !* Elle se dégage et ouvre la portière.

— Non, Gabriel, c'est pas possible.

— Pourquoi pas ?

— T'es mon client. Non, non, non.

Elle sort de l'auto et se penche une dernière fois, les joues en feu.

— Merci encore pour le souper.

Elle marche rapidement vers la maison, sans se retourner. Gabriel la regarde déverrouiller la porte. Il ne part que de longues minutes après qu'elle eut disparu dans la maison.

❧

Deux semaines passent. Hélène poursuit le travail dans le dossier de divorce de Gabriel, mais elle évite de communiquer avec lui. À son grand soulagement, ce dernier ne donne pas non plus de nouvelles. Les négociations avec l'avocate de Martine avancent. Cette dernière a enfin cédé sur la garde de Léa : elle accepte la garde partagée à la condition que Léa soit avec elle durant les vacances scolaires estivales. Hélène croit bien pouvoir vendre ça à Gabriel. Pour ce qui est de Tarpan et de la maison Massawippi : rien n'a encore bougé.

❧

Quelques jours plus tard, Gabriel débarque à la firme Bouchard sans s'être annoncé. Il convainc Christine de le laisser voir la patronne un court moment.

— Dix minutes max, promet-il.

— Vous n'avez pas le choix, elle a un rendez-vous dans quinze.

Quand il apparaît devant elle, Hélène réprime avec peine un mouvement de panique mêlé de joie. *Il est trop beau !* Il porte des vêtements décontractés : un pantalon grège, une chemise blanche en fin lainage qui met en valeur son teint hâlé. Il porte également son sourire ravageur, celui auquel, elle doit bien en convenir, elle ne peut résister. Elle se force au calme et à la dignité.

— Bonjour, Gabriel.

— Monsieur Delisle ne reste que dix minutes, maître Bouchard. Vous avez rendez-vous avec madame Landes…

— C'est beau, Christine, coupe Hélène.

Christine se retire et ferme la porte derrière elle.

— *Long time no see,* lance Gabriel.

— En effet. Mais on avance dans votre dossier.

— Tant mieux.

— Je dois vous présenter une proposition quant à la garde de Léa.

— D'accord.

— Pas maintenant. On n'aura pas le temps. Christine va te… vous donner un rendez-vous.

— On revient au vouvoiement?

— C'est préférable.

Gabriel accuse le coup, mais n'ajoute rien.

— J'étais en voyage au Dakota depuis deux semaines.

— Ah bon.

— Ça explique que je ne me sois pas manifesté avant. Je voulais pas avoir une conversation au téléphone ou par courriel.

— OK.

Un silence chargé s'installe entre eux. Ils se regardent.

— On peut pas nier qu'il se passe quelque chose entre nous.

— Non. Mais il n'y a rien de possible.

— Pour le moment, précise Gabriel.

— Qu'est-ce que tu veux dire? demande Hélène qui a déjà oublié sa décision de le vouvoyer.

— Que je suis d'accord avec toi. Que tant que les modalités du divorce ne sont pas réglées et signées, faut préserver notre relation avocat-client. Je veux pas que ce soit quelqu'un d'autre que toi qui me défendes. J'ai confiance et c'est rare.

— Merci.

— Mais pas question non plus d'ignorer ce que je ressens pour toi.

Hélène déglutit difficilement. Gabriel est en train de lui faire une déclaration, n'est-ce pas? Elle choisit de s'asseoir. C'est plus prudent dans l'état de fébrilité où elle est.

— Dis-moi que c'est pareil pour toi?

— Oui, répond Hélène dans un souffle.

— OK. Je suis tellement heureux que tu me dises ça.

Hélène le regarde et, en effet, il a l'air soulagé de constater que son sentiment est partagé. Hélène flotte.

— On reste amis, on se voit quand même, mais on attend que tout soit complété pour…

— Pour voir si…

— Pour essayer de…

Ils éclatent de rire en constatant que ni l'un ni l'autre n'arrive à compléter ses phrases. Ça fait baisser la tension.

— On se comprend? vérifie Gabriel.

— Tout à fait, répond Hélène, arborant un grand sourire.

— OK, j'y vais, avant de me faire mordre par ton adjointe.

— En effet, t'as intérêt à ne pas la provoquer une autre fois.

Gabriel marche vers la sortie et ses yeux ne la quittent que lorsque la porte se referme. Hélène soupire de soulagement. Une légère euphorie l'habite. Elle a l'impression d'avoir accès au meilleur des deux mondes. Elle reste son avocate, elle continue de le voir amicalement et, en temps et lieu, ils iront de l'avant dans une relation plus intime. Ça lui convient parfaitement. Une énergie nouvelle l'habite soudain. Elle se sent prête à affronter l'attente!

Ingrid finit de regarder le montage final de la vidéo qu'elle a réalisée. Elle est satisfaite, plutôt fière même. Elle a eu des idées novatrices et a très hâte de montrer le résultat final à son client. Elle y a mis beaucoup de temps et d'énergie, mais ça valait le coup.

En allant aux toilettes, elle voit qu'il y a un peu de sang dans sa culotte. Elle fige, apeurée, puis elle se raisonne. *Le médecin a dit que quelques gouttes de sang, c'est pas grave. Ça arrive. Calme-toi. Tu dois te reposer, c'est tout.* Elle va dans la chambre, ferme les rideaux, bien décidée à faire une sieste. Elle s'étend sur le lit et s'endort aussitôt.

❧

Ingrid se réveille avec une sensation de lourdeur. Elle regarde l'heure. Elle a dormi deux heures. Elle en avait bien besoin. Elle sort peu à peu des brumes du sommeil. Mais qu'est-ce que c'est? C'est mouillé sous elle. Elle se redresse brusquement, retire les couvertures d'un geste rapide et regarde les draps. Le lit est imbibé de sang. Ingrid comprend aussitôt. Encore une fausse couche.

— Noooon!

Elle éclate en sanglots. Elle était si heureuse, si confiante. *Pourquoi moi?*

CHAPITRE 4

Olivier regarde Ingrid. Sa belle blonde est toute pâle, étendue sur le lit d'hôpital, ses longs cheveux répandus sur l'oreiller. Même dans son sommeil, elle semble triste et accablée. Olivier aussi a une peine immense d'avoir perdu le bébé. Si Étienne était encore là, il dirait: «Qu'est-ce que t'as à comprendre là-dedans, mon gars?» Il était comme ça, Étienne, désireux de trouver un côté positif dans tout, d'apprendre quelque chose de chacune de ses expériences. Et Olivier regimberait, bien sûr. *Il y a rien à comprendre, c'est un coup du sort, c'est la vie qui s'acharne.* Ce qu'Olivier donnerait à cet instant pour avoir son père près de lui. Il caresse tout doucement les cheveux d'Ingrid, en prenant soin de ne pas la réveiller, et s'efforce de ne pas pleurer.

Hélène marche à pas rapides dans le long corridor de l'hôpital. Elle a croisé Julie et William à la porte. Ils venaient de voir leur fille. Hélène a trouvé que Julie avait l'air bouleversée par cette fausse couche. À tel point qu'Hélène s'est informée s'il n'y avait pas autre chose. Julie l'a assurée que non, mais que la peine d'Ingrid avait déteint sur elle. Elles se sont promis de se voir bientôt.

En entrant dans la chambre, Hélène prend tout de suite son fils dans ses bras.

— Je suis tellement désolée…

Olivier la serre contre lui, ému. Puis Hélène se tourne vers Ingrid.

— Elle dort, chuchote Olivier.

— Ça te dérange pas si je reste?

— Tellement pas. Même que j'en profiterais pour aller manger quelque chose.

— Va. Je bouge pas.

Olivier sort de la chambre et Hélène reste seule avec sa bru, toute menue dans le lit d'hôpital pourtant pas très grand. Comment le couple réagira-t-il à cette deuxième fausse couche? Ingrid est forte et résolument positive, elle se remettra rapidement. Hélène redoute un peu la réaction de son fils, lui qui sort à peine de sa dépression. Sera-t-il assez solide pour passer à travers ça sans retomber? Hélène se promet d'être plus présente pour lui dans les prochaines semaines. Ingrid bouge et ouvre difficilement les yeux. Elle ne semble pas se souvenir d'où elle est. Puis, ça se voit dans son visage, la réalité la rattrape. Les larmes lui montent aussitôt aux yeux.

— Pendant un moment, je pensais que j'avais fait un cauchemar. Mais non.

— Pauvre cocotte, lui dit Hélène en lui touchant affectueusement le bras.

— Oli?

— Parti prendre une bouchée. T'as mal?

— Non. Physiquement, ça va, répond Ingrid d'une voix éteinte.

— Faut garder le moral, vous êtes jeunes, vous allez vous reprendre.

Ingrid esquisse un sourire peu convaincant. Hélène réalise qu'il est trop tôt pour ce genre d'encouragements un peu convenus.

— Est-ce que je peux faire quelque chose pour toi ?

— Non. Merci.

— Tu sais que je suis là. Pour n'importe quoi, n'importe quand.

— Oui, je le sais. Merci, Hélène.

Ingrid referme les yeux. Hélène se cale dans le fauteuil, infiniment triste elle aussi. Ce coup du destin a frappé fort.

Une promenade à cheval reste le meilleur moyen pour faire le vide et retrouver son centre. Son bel Hélios est un formidable antidote à la tristesse. Aujourd'hui, Hélène a choisi de faire la piste la plus longue : elle en a besoin. Ses pensées, d'abord accaparées par la fausse couche d'Ingrid, dérivent peu à peu vers Gabriel. Elle doit l'aider à trouver des solutions créatives pour que les discussions avec la partie adverse passent à une vitesse raisonnable. Elle est fière d'avoir mené à bien ce qui concerne la garde de leur fille. Elle doit trouver comment dénouer les deux autres points, maintenant.

Il fait nuit, mais dans un hôpital il n'y a jamais de vrai calme. Ingrid est agacée par tout ce va-et-vient. Les infirmières qui vérifient régulièrement que tout se déroule bien, qui prennent sa température, sa tension artérielle. Ingrid préfère fermer les yeux et faire semblant de dormir pour ne pas avoir à répondre ou à converser. Elle veut être seule, avoir la paix. Des images du lit ensanglanté, de la route vers l'hôpital, de l'arrivée en salle d'opération pour le curetage roulent sans répit dans sa tête. Elle n'aura pas cet enfant. *T'as encore perdu un bébé. Ce que tu peux être nulle.* Mais pire encore, la réalité insoutenable qui fait son chemin peu à peu : elle n'aura jamais d'enfant. Elle fait partie de ces femmes qui ne peuvent pas en avoir. *Jamais je ne serai maman.* Ce qu'elle souhaite le plus au monde lui échappe. Peut-être devrait-elle laisser Olivier pour lui permettre de fonder une famille avec une autre. Elle y réfléchit, mais tout son être dit non! La pensée de vivre sans Olivier est insoutenable. Mais si elle était vraiment généreuse, c'est ce qu'elle ferait, n'est-ce pas? Pourquoi le punir lui pour ses manques à elle? Elle entend du bruit tout près. Encore une infirmière.

— Madame Harrison, je vais prendre votre tension.

Ingrid réprime un soupir d'agacement et sort son bras de sous les couvertures sans même ouvrir les yeux.

Hélène balaie du regard le condo et apprécie ce qu'elle voit. Olivier a fait le ménage, a tout rangé et a même acheté des fleurs. Tout est fin prêt pour le retour d'Ingrid à la maison.

— Moi qui venais t'aider à préparer la place. Il y a rien à faire.

— J'ai passé la matinée dans le ménage.

— Bravo, mon fils.

Hélène lui tend la boîte de carton qu'elle a à la main. Des biscuits au beurre, ceux qu'Ingrid aime tant. David les a cuisinés expressément pour elle et ils sont encore chauds.

— Je lui ai parlé ce matin, dit Olivier.

— Pis? Elle remonte un peu la pente?

— Pas vraiment, non, répond Oli, soucieux.

— Laisse-lui du temps. Ingrid est solide.

— Je sais ben, mais je l'ai jamais vue comme ça. Ça me fait *rusher* au boutte.

— Sois patient.

— C'est elle, le roc, dans notre couple.

— T'es plus fort que tu penses, Oli, tente de le rassurer Hélène.

— Non.

Hélène préfère ne pas relever. Elle secoue la tête et tapote gentiment la joue de son fils.

— À quelle heure tu vas la chercher?

— Maintenant, dit Olivier en consultant sa montre.

— Tu veux que je reste?

— Non, non. Merci, m'man.

❧

Olivier ouvre la porte du condo et laisse entrer Ingrid. Il veut l'encourager, la mettre de bonne humeur. Il veut que tout soit comme avant. Cette Ingrid sans énergie lui fait peur. C'est pourquoi il force un peu sur l'enthousiasme.

— Tu trouveras pas une graine de poussière. J'ai même fait le ménage du frigo! Tu pensais pas que je pouvais faire des miracles, hein? Avoue.

Ingrid sourit machinalement. Elle avance dans la pièce et s'arrête près de la table.

— Ma mère t'a apporté des biscuits au beurre. T'es mieux de te dépêcher à les manger, parce que ça me prend tout mon p'tit change pour pas sauter dans la boîte.

Ingrid dépose son sac sur la table et regarde autour d'elle, comme si elle découvrait les lieux.

— As-tu faim?

— Non.

— Il est tard, pourtant. Si je te faisais des pâtes à l'ail comme t'aimes?

— J'ai pas faim, merci, répond Ingrid sans le regarder.

Elle retire sa veste, la dépose sur une chaise et se dirige vers la chambre.

— Tu vas faire une sieste? OK, bonne idée, dit Olivier avec l'impression de parler tout seul.

En effet, Ingrid ne répond pas, ne se retourne même pas. Elle entre dans la chambre et ferme la porte derrière elle. Olivier reste en plan. Désarçonné et impuissant, il se laisse tomber sur une chaise.

Olivier a enfin réussi à attraper Théo. Ce dernier, toujours entre deux rendez-vous, a de la difficulté à rester en place. Il n'y a qu'eux chez DuoBuzzz ce matin. Suzie travaille de la maison et l'adjointe est en congé.

— Faut que je prenne mes appels, avertit Théo.

— Non, non, tu les laisseras entrer dans la boîte vocale.

Théo soupire, contrarié.

— Écoute, Théo, je veux d'abord te redire à quel point je te suis reconnaissant d'avoir tenu le fort pendant que j'étais pas là.

— C'est normal. T'aurais fait la même chose à ma place.

— C'est sûr. Mais là, je suis revenu pis...

— Tu vas me parler de Suzie.

— Ben oui.

— Regarde, Oli, j'ai supplié Suzie de quitter Montréal pour venir me donner un coup de main quand j'étais vraiment dans la marde.

— C'était quand même une bonne excuse pour qu'elle vienne vivre avec toi. Ça faisait deux ans que t'essayais de la convaincre de revenir à Granby.

— C'est vrai, mais reste que, sans elle, j'y serais pas arrivé.

— Oui, je sais, je reconnais ça aussi.

— Maintenant que t'es revenu, faudrait que je la mette dehors ? Elle est super bonne en plus. Tu peux pas dire le contraire. C'est un atout pour nous autres.

— Oui, mais on s'entend pas, elle et moi.

— *Tu* t'entends pas avec elle. Suzie de son côté...

— Elle fait toujours à sa tête, c'est sûr qu'elle a pas de problème.

Les deux amis restent silencieux un moment.

— Je lui demanderai pas de partir, Oli.

— OK. Mais va falloir qu'elle agisse différemment avec moi. C'est toi et moi, les patrons. Faut qu'elle accepte ça.

— Elle le sait, *come on*.

— Ça paraît pas. Elle se fout de ce que je lui dis. Elle me contredit devant les clients. Ça peut plus marcher de même.

— OK, OK. Tu lui parles ou tu préfères que je le fasse ? demande Théo.

— Parle-lui d'abord, pis je vais avoir une conversation avec elle ensuite, pour clairer l'air.

— OK.

Théo se lève et prend aussitôt son téléphone. Olivier, quant à lui, est content d'avoir enfin pu dire ce qui le tracassait, mais il n'est pas satisfait. Visiblement, Théo avait hâte que la conversation se termine et c'est évident qu'il ne comprend pas ce que vit Olivier. Et s'il doit choisir entre sa blonde et son associé, c'est clair que son allégeance va à Suzie. Olivier soupire : *décidément, ça roule pas aujourd'hui.*

Gabriel et Hélène ont convenu de luncher ensemble. Un repas d'affaires, comme Hélène l'a spécifié. Et effectivement, Hélène aborde les deux points qu'il reste à régler. Elle comprend qu'il ne peut pas et ne veut pas donner à Martine des parts dans Tarpan, mais pourquoi ne pas lui donner un pourcentage des profits pendant quelques années, pour faire preuve de bonne foi ? Gabriel ne dit pas non, mais il nuance. Il pourrait lui donner une part de ses gains à lui pour ne pas que son frère et sa sœur soient liés à cet engagement. Hélène trouve l'idée bonne.

Elle passe ensuite au cas de la maison du lac Massawippi. Aussitôt, elle sent Gabriel se fermer.

— Je comprends ton attachement, mais il va falloir trouver un compromis. Si tu bouges pas sur ce point-là, ça va s'enliser davantage.

— Tu comprends pas ce que cette maison représente pour moi.

— Oui, mais il faut que tu fasses preuve de bonne foi, que tu jettes du lest. Ça fait des mois que votre divorce traîne parce que vous restez tous les deux sur vos positions.

— Je sais bien, concède Gabriel.

— Tu penses pas que ton attitude est un peu trop rigide?

Gabriel ne répond rien et prend une bouchée sans la regarder.

— OK, désolée, s'excuse Hélène, sentant qu'elle est allée trop loin.

— Non, non, t'as raison. Je suis juste pas habitué à me faire parler comme ça.

Au tour d'Hélène de manger en silence un moment.

— Ça fait des mois que j'y pense et je le sais toujours pas, reprend Gabriel. Martine sait à quel point je suis attaché à cet endroit-là et elle n'en démord pas parce qu'elle sait que ça m'affecte. Elle a une poignée sur moi, pis elle aime ça.

— Essayons de ne pas lui prêter d'intentions malveillantes, suggère Hélène, pacificatrice.

— Mais c'est ça pareil.

— Que tu gardes la maison, mais qu'elle ait des droits de visite, alors?

— Qu'elle soit dans mes affaires? Non, pas question. Imaginons que j'aie une autre femme dans ma vie.

Gabriel lui lance un regard appuyé. Hélène se sent rougir.

— On est capable d'imaginer ça, hein?

— Oui, oui, rétorque Hélène d'une petite voix.

— Tu penses que cette femme-là apprécierait de savoir que mon ex est là la moitié du temps, qu'elle couche dans notre lit, qu'elle…

Hélène le coupe.

— C'est bon. Je comprends ton argument. On va trouver une autre solution.

— Je te promets d'y penser sérieusement aussi de mon côté.

Hélène jette un œil sur l'assiette de Gabriel.

— Tu manges pas ton riz?

— Non, je déteste ça.

— Moi aussi!

— Hein!? Une autre affaire qu'on a en commun! lance Gabriel à la blague.

Olivier se sent complètement démuni devant sa blonde, amorphe et quasi muette depuis son retour de l'hôpital. Elle se couche tôt, se lève tard, fait des siestes matin et après-midi. Quand elle est réveillée, elle s'assoit au salon avec un livre qu'elle ne lit pas, perdue dans ses pensées. Jamais il ne l'a vue comme ça. Ce matin, alors qu'il prend son petit-déjeuner, Ingrid sort de la chambre et va s'asseoir au salon, dos à lui.

— Allô, ma blonde! Bien dormi? dit Olivier.

— Je me demande à quoi ça sert d'acheter une maison, finalement, déclare Ingrid, sans préambule.

— Ben là...

— On aura pas de bébé. Autant rester ici.

— Dis pas ça. On va réessayer pis...

— Non. C'est fini. Je passerai pas à travers une troisième fois.

Puis, elle ajoute pour elle-même, à voix si basse qu'Olivier l'entend à peine:

— Même pas certaine de passer à travers celle-ci...

— Ça vient juste d'arriver. C'est normal que tu sois triste et à l'envers, mais pour la maison, on peut pas reculer.

— Pourquoi pas?

— Parce qu'on va perdre notre dépôt.

— Bof.

— 5000 piasses! Voyons, Ingrid!

— OK, OK, on pourrait tenter de se retirer sans laisser notre dépôt.

— Les vendeurs voudront jamais.

— On le saura pas tant qu'on aura pas essayé, persiste Ingrid.

— T'es pas sérieuse? demande Olivier, découragé. Tu veux vraiment laisser passer cette occasion-là. Elle est parfaite pour nous, cette maison-là.

— Elle *était*, corrige Ingrid.

Le silence s'installe entre les deux.

— Vas-tu en parler avec l'agent d'immeubles ? reprend Ingrid.

— Je propose qu'on y réfléchisse un peu encore, avant.

— Réfléchis si tu veux. Pour moi, c'est clair, dit-elle d'un ton sans appel.

Olivier soupire. Il la veut, cette maison, lui. Il plonge sa cuillère dans son gruau et s'encourage. *Laissons passer un peu de temps. Elle va se ressaisir et elle va changer d'idée.*

❧

Hélène regarde par la fenêtre en attendant l'arrivée de Gabriel. Le ciel est tout bleu, à peine quelques nuages. Avec sa température clémente, ce premier samedi de décembre se donne des airs d'octobre. Ça fait plusieurs fois qu'Hélène et Gabriel sortent ensemble. Ils vont au cinéma, parlent beaucoup, montent leurs chevaux ensemble et apprennent à vraiment se connaître. Cette relation à la fois très intime mais platonique est pour le moins inhabituelle. En temps normal, ils auraient fait l'amour depuis longtemps – et ce n'est pas l'envie qui manque – mais ils tiennent bon et respectent leur résolution d'attendre la fin des procédures de divorce. Ils sont tous deux très fiers de ça et trouvent, tout compte fait, que c'est très sexy de se courtiser si longtemps « sans contact ». La Tesla de Gabriel stoppe devant la maison. Hélène attrape son sac à main et sort, heureuse. Elle n'a aucune idée de ce qu'ils vont faire aujourd'hui, Gabriel n'a pas voulu le lui dire. Elle a hâte de savoir de quoi il retourne. Ce n'est qu'une fois sur l'autoroute 10 que Gabriel se décide enfin à lui révéler le but de cette sortie.

— Je t'emmène voir ma maison au lac.

— Oh… s'exclame Hélène, ne sachant trop si c'est une bonne idée.

— Je savais que tu hésiterais. C'est pour ça que je ne t'en ai pas parlé avant.

— C'est un genre de kidnapping.

— Je veux que tu comprennes ce que je ressens quand je parle de cette maison. Tu vas la voir de visu, la *feeler* surtout.

Hélène regarde Gabriel. Ce profil qu'elle connaît maintenant si bien. Son petit grain de beauté sur la joue, son nez droit, ses sourcils très noirs. Même si l'idée d'aller dans cette maison la met vaguement mal à l'aise, elle décide de s'abandonner à cette journée. Il tourne la tête vers elle et lui sourit. Hélène lui rend son sourire et laisse le soleil réchauffer son visage. L'auto file sur la route. À la radio, Kevin Thompson et Martha Wainwright chantent *La rose. J'ai enterré mon cœur là-bas sous les fleurs, je sais qu'il n'est pas mort, je l'entends battre encore...*

❧

Même si elle n'a le goût de rien, Ingrid s'est secouée pour inviter sa mère à déjeuner. Elle est allée faire les courses et tout est prêt. Il ne manque que du lait.

— Maman, arrêterais-tu acheter du lait en t'en venant.

Silence au bout de la ligne.

— Je viendrai pas finalement.

— Comment ça, tu peux pas venir? J'ai fait à déjeuner! Je t'attends, moi!

— Je m'excuse, Ingrid, je suis vraiment désolée, mais j'ai été malade cette nuit, et là, j'y arrive pas...

Ingrid est vraiment très agacée. Elle non plus ne file pas, et pourtant, elle est prête. Elle s'est forcée, elle, pour faire plaisir à sa mère.

— T'aurais pu m'appeler plus tôt! T'es pas cool ces temps-ci.

— Je suis plate, t'as raison, dit Julie.

— En tout cas, je vais manger mes crêpes toute seule. J'aurais aimé ça que tu viennes me voir, maman. Mais bon, je vais m'arranger, c'est correct. Passe une belle journée, lance Ingrid en lui raccrochant presque au nez.

Elle regrette un peu mais ça serait pas mieux de faire comme si ça ne lui faisait rien. *Je compte moi aussi!* Elle regarde sa table, bien mise et pleine de victuailles, et constate qu'elle n'a plus faim. Elle entreprend de tout ramasser. *Quand je pense que j'ai tout fait ça pour rien...*

L'auto roule d'abord le long d'une allée privée bordée d'arbres. Puis la maison apparaît au bout du chemin. Une belle et grande maison de déclin de bois de couleur crème entourée de fleurs sauvages. Ils descendent de l'auto et Gabriel va ouvrir la porte.

— Bienvenue chez moi.

Hélène entre dans la maison et comprend aussitôt pourquoi Gabriel refuse de céder sur ce point. On s'y sent bien dès les premiers instants. Il s'y dégage une atmosphère accueillante, sereine et calme. La décoration est composée d'éléments anciens mêlés à d'autres plus modernes, parfois hétéroclites, mais le tout est étonnamment harmonieux. Les fauteuils devant la cheminée, la table de jeu dans un coin, d'autres fauteuils de lecture et, au fond de la pièce, une immense table en bois ancien, pouvant facilement accueillir vingt convives. La table est installée devant une longue rangée de fenêtres qui vont du plafond jusqu'au sol et qui donnent sur le terrain gazonné et, juste en bas, sur l'impressionnant lac Massawippi. Hélène reste devant la fenêtre à admirer la vue. Gabriel vient près d'elle.

— Tu comprends que jamais je ne me déferai, même partiellement, de cette maison. J'ai passé tous les étés de mon enfance ici. Il n'y a nulle part ailleurs où je me sens autant chez moi. Mes meilleurs souvenirs sont ici. Avec mes parents, mes grands-parents et avec Léa aussi.

Bien sûr qu'Hélène comprend. Elle a reculé sur la vente de la maison d'Étienne pour des raisons similaires. Si cette maison lui appartenait, jamais elle ne la laisserait aller. Mais Hélène est aussi l'avocate de Gabriel.

— Je comprends. Mais tu dois quand même trouver une solution pour répondre à la demande de ton ex.

— À la demande déraisonnable de mon ex, corrige Gabriel. Un café?

Hélène accepte et le suit dans la cuisine. Encore une pièce impeccable. Très vaste avec un immense îlot. Toutes les commodités – poêle au gaz, frigo surdimensionné, un garde-manger walk-in, machine espresso – mais avec un cachet campagnard. Par-delà les portes françaises, une véranda, puis une grande terrasse de bois.

— J'ai lu dans le dossier que c'est Martine qui a supervisé les rénos de la cuisine, il y a 5 ans.

— Oui.

— Elle a fait ça avec beaucoup de goût.

— On a travaillé les plans ensemble.

— Elle est venue souvent ici?

— Oui. On y a passé presque tous nos week-ends jusqu'à notre séparation. Léa adore cette maison.

— Martine doit y être attachée, elle aussi.

— Oui, mais c'est pas à elle, réplique Gabriel, fermé.

— Pendant plus de dix ans, c'était tout comme.

La machine espresso déverse le café dans les tasses et Gabriel entreprend de faire mousser le lait. Il dépose une tasse devant Hélène. Ils prennent place au coin de l'îlot.

— Où tu veux en venir exactement? demande Gabriel.

— Je comprends que tu ne veuilles pas lui laisser la maison à mi-temps, mais pourrais-tu envisager de la lui laisser pendant les mois d'été et aux fêtes, par exemple?

— Jamais de la vie! s'exclame Gabriel. Noël, ici, c'est magique. Je pars jamais en voyage durant ce temps-là, parce que je veux pas être ailleurs à Noël. Non, non, impossible.

— OK, mais…

— Hélène, la solution passe pas par le partage de la maison. C'est impossible. Je veux pas la posséder avec elle. Point final.

Hélène comprend qu'il est inutile d'insister.

— OK.

— Il fait assez doux, allons prendre notre café dehors, propose Gabriel.

Ils sortent de la cuisine, traversent la véranda et vont s'installer sur des chaises Adirondack. Gabriel a pris deux couvertures en laine d'alpaga en passant. Il en dépose une sur les épaules d'Hélène et garde la sienne sur le bras de sa chaise. Leurs regards se perdent dans la beauté du lac. Ils restent ainsi en silence plusieurs minutes. Un genre de silence qui les unit, pense Gabriel qui apprécie ces moments. Martine semblait devoir meubler chaque silence. Avec Hélène tout est si différent. De son côté, Hélène réfléchit et se demande comment elle viendra à bout de la résistance de Gabriel. Le divorce passe par une solution liée à cette maison.

À l'heure du lunch, Gabriel est allé chercher une pizza maison dans le congélateur, au sous-sol. Ils ont mis de la musique et ont mangé dans la véranda. Hélène se dit que cette journée est parfaite et que cet homme, ma foi, frôle lui aussi la perfection. Trop ? Elle ne le connaît pas beaucoup encore. Son humeur change quand elle ramène la conversation sur les demandes de Martine.

— On est absolument obligés de parler d'elle ? dit Gabriel, agacé.

— Oui, je suis ici pour ça.

— Non, je voulais seulement te montrer ma maison.

— Je suis ton avocate, Gabriel.

— Pas de danger que je l'oublie, réplique-t-il, acerbe.

— Je sais que t'as pas le goût d'en discuter mais…

— Je suis tellement écœuré de toujours être là-dedans. Les demandes de Martine, les exigences de Martine, les caprices de Martine. Ça fait des mois et des mois que ça dure.

— Raison de plus pour être raisonnable.

— Pis lui donner ma maison ? Jamais !

Gabriel sort, laissant Hélène dans la véranda, un peu surprise de cette réaction. Elle le laisse seul une quinzaine de minutes et va le rejoindre sur le quai.

— Fini le boudin ? dit-elle.

— Oui, répond Gabriel de manière étonnante. Pas question que je la laisse gâcher cette journée.

— C'est toi qui étais en train de la saboter, pas elle, rétorque Hélène du tac au tac.

Gabriel la regarde, surpris. Il se sent brusqué mais choisit d'en rire.

— Ouain, on peut pas dire que t'es complaisante.

— Non.

Gabriel se dit que c'est bien la seule personne au monde qui lui parle sur ce ton. Il marche jusqu'au bout du quai, bien décidé à changer l'atmosphère. Il retire ses chaussures et ses bas et met Hélène au défi de mettre, elle aussi, ses jambes dans l'eau. Cette dernière se montre courageuse et l'imite aussitôt.

— Ohhh ! C'est tellement froid, s'écrie Hélène.

— Tu trouves ? répond Gabriel, stoïque.

— On s'habitue… je pense.

Mais Gabriel fait une horrible grimace et retire rapidement ses jambes de l'eau en criant d'une voix aiguë pour faire rire Hélène. Il se lève et sautille sur le quai.

— C'est froid, c'est froid, c'est tellement froid !!!!

— Tu trouves ? réplique Hélène en gardant courageusement ses jambes dans l'eau.

Gabriel fait une mimique impressionnée.

— T'es forte.

— N'est-ce pas ? répond Hélène, arborant un grand sourire. Maintenant que j'ai marqué un point…

Elle sort ses jambes de l'eau et les regarde.

— Elles sont bleues, non ?

Ils rigolent, puis un moment de silence les enveloppe. Un silence doux et complice. Hélène regarde l'heure à sa montre. Déjà 15 h 30 !

— Faut que je t'emmène voir ma cabane avant que le soleil se couche. On va s'habiller plus chaudement, il fait plus froid dans le bois. Je vais aller chercher des manteaux plus chauds.

Gabriel possède en effet plusieurs acres sur le bord de l'eau et une partie, derrière, est encore boisée.

Il revient avec deux gros manteaux doublés. Hélène disparaît presque dans le sien.

— C'est le plus petit que j'ai trouvé. Faudra s'en procurer un à ta taille.

— On n'en est pas encore là, dit Hélène, prudente.

Ils sortent, prennent le petit chemin derrière la maison et entrent dans le bois. Gabriel explique à Hélène que c'est son grand-père qui a bâti la première cabane. Son père l'a solidifiée et lui-même y a travaillé pour Léa il y a quelques années. Tous les Delisle ont passé des heures ici. Sa mère leur préparait des pique-niques, et sa sœur et lui venaient y jouer des journées entières. Hélène aime entendre Gabriel parler de cette cabane avec tant d'affection. Quelques minutes plus tard, ils y sont. Un escalier mène à l'entrée. La cabane a été construite contre un gros arbre. Ils grimpent. La porte grince quand Gabriel l'ouvre. Il tend la main pour inviter Hélène à y entrer. L'intérieur est tel qu'Hélène se l'imaginait. Plafond bas, rudimentaire, mais original. De gros coussins sur le sol, des étagères avec de la vaisselle en métal, des lampes à pile et une grande ouverture sur le lac qu'on aperçoit bien d'ici.

— Je suis content d'avoir tardé à rentrer les coussins pour l'hiver. On va être bien pour voir le soleil se coucher.

Ils s'installent dans les coussins et regardent le soleil descendre sur le lac. Pas un souffle de vent, le moment est magique.

— On est au paradis, han? dit Hélène.

— Oui.

Ils se sourient.

— Faut que je te dise, Hélène, plus on passe de temps ensemble, plus ça me rend heureux.

— Moi aussi.

— T'es vraiment tout ce que je souhaite chez une femme. T'es sensible, drôle, autonome, indépendante... T'as pas la langue dans ta poche pis tu m'impressionnes. J'aime ça qu'une femme m'en impose. On est hyper compatibles, non?

— Oui. On est un bon match!

Gabriel la colle contre lui.

— Oh, regarde le ciel, c'est fabuleux, dit Hélène.

En effet, le ciel est rose et orangé. L'effet sur le lac est stupéfiant. Ils se parlent sans quitter le lac des yeux.

— J'ai hâte que mon divorce soit signé.

— Moi aussi.

— Je pensais pas pouvoir encore éprouver ça pour quelqu'un. C'est vraiment fort, tu sais.

— Après le décès d'Étienne, c'était clair pour moi que je finirais ma vie toute seule. Mais là...

Ils se tournent l'un vers l'autre.

— Je t'aime, Hélène.

— Je t'aime, Gabriel.

C'est plus fort qu'eux. Gabriel prend Hélène dans ses bras. Ils s'embrassent passionnément. Tout l'amour qu'ils éprouvent l'un pour l'autre passe dans ce baiser. Tout ce temps à jouer aux amis intensifie le moment. La pénombre envahit peu à peu la maisonnette. Mais ils ne s'en rendent compte que de longues minutes après. Ils se regardent, yeux dans les yeux.

— Je crois qu'on est mieux de rentrer à Granby, dit Gabriel.

— C'est ce que je pense aussi.

— Si on veut tenir notre promesse.

— Oui, oui, on veut la tenir, répond Hélène.

Le voyage du retour se fait en silence. Ils savent tous les deux que leur relation a évolué ce jour-là, qu'elle a pris un tournant décisif. Ce n'est plus seulement de l'attirance. Ce qu'ils ressentent l'un pour l'autre, désormais, c'est de l'amour. Cette journée est une véritable promesse de bonheur à venir.

❧

Réjanne, qui met d'habitude les petits plats dans les grands quand Hélène vient bruncher, n'a préparé que peu de chose, cette fois.

— Je suis désolée, s'excuse-t-elle.

— C'est parfait, tu prépares toujours trop de nourriture, de toute façon.

— T'as ben raison, tu manges comme un oiseau. On en a pour la semaine après, pour en venir à bout.

Les deux femmes discutent un moment des avancées de Réjanne dans son nouveau projet de fondation. Puis, cette dernière rapaille en vitesse les papiers de sa fondation éparpillés sur la table de la salle à manger.

— Assez parlé de ma fondation, je prendrai un rendez-vous si je veux profiter de ton expertise professionnelle.

— Ben non, ça me fait plaisir, voyons.

— Quoi de neuf?

— Olivier et Ingrid ont un peu de difficulté à se remettre de la fausse couche.

— Ben oui, j'ai su ça. Pauvres eux autres. T'as su pour Geoffroy et Alicia?

— Oui, bien sûr. On se voit souvent ces temps-ci, Geoffroy et moi. Tu vas être grand-mère une deuxième fois.

Enthousiaste, Réjanne parle du bonheur de son fils, des grands changements dans la vie de son grand, causés par cette grossesse surprise et par l'achat du Café.

Hélène hésite un court instant et décide de se confier à Réjanne.

— Pis y se passe autre chose pour moi. Faut que tu me promettes d'en parler à personne, dit Hélène.

Réjanne fait comme si elle fermait sa bouche avec une fermeture éclair.

— Ziiiiiip!

— Je pense que je suis en amour.

— Sans blague! Mais c'est merveilleux. Oh, Hélène... C'est qui?

— C'est ça qui est délicat, précise Hélène.

— Envoye! Dis-le-moi. Tu sais bien que tu peux avoir confiance.

— Gabriel Delisle.

Réjanne fait d'abord une mimique montrant qu'elle ne sait pas de qui il s'agit. Puis elle fait le lien.

— L'ex de Martine? dit Réjanne, sidérée.

— Oui.

Hélène explique comment ça s'est passé, mais aussi leur résolution de ne pas vivre leur histoire avant que les papiers de divorce soient signés. Réjanne n'est plus aussi réjouie.

— Quoi? demande Hélène.

— Es-tu certaine que c'est le bon gars pour toi?

— Pas certaine, non. On peut-tu être sûre de ça? Mais j'ai un très bon *feeling*.

— Ouain...

— C'est quoi là? insiste Hélène.

— Martine m'a tellement parlé de lui. Pis pas en très bons termes.

— C'est sûr, ils sont en instance de divorce.

— Elle m'a raconté des affaires...

— Il y a toujours deux côtés à une médaille, prévient Hélène.

— Quand même... Selon Martine, il serait un peu...

— Non, non, non! Je veux rien entendre de ça.

— OK, je me tais, fait Réjanne, un peu pincée.

— Ta Martine est pas parfaite non plus, tu sais, assure Hélène en se sentant mesquine mais ne pouvant résister à défendre Gabriel.

— C'est-à-dire?

— Je suis tenue au secret professionnel.

— Ah, ben oui... répond Réjanne qui visiblement ne croit pas Hélène.

— Changeons de sujet, OK? demande Hélène, qui commence à être sérieusement agacée par la réaction de son amie.

Les deux femmes finissent leur repas en parlant de choses et d'autres, mais le cœur n'y est plus. Le sujet «Gabriel» plane au-dessus de leur rencontre et déteint sur l'ambiance. Hélène prétexte du travail à rattraper au bureau pour quitter rapidement Réjanne, qui ne la retient pas.

Comme tous les mois, Léa petit-déjeune chez Ben La Bédaine avec son père avant sa leçon d'équitation. L'adolescente n'aime pas ses cours, mais passer du temps avec son père, seule à seul, compense un peu. Ce matin-là, quand Gabriel arrive, Léa est déjà installée et elle est d'humeur massacrante.

— T'es en retard, lui lance-t-elle aussitôt.

Gabriel consulte sa montre et sourit.

— Il est 10 h 02.

— Deux minutes, c'est un retard pareil.

Gabriel prend place.

— Pis ta semaine?

— Moyen.

— Comment ça?

— Je me suis fait chier à l'école.

— Ben voyons, Léa, tu parles d'un langage.

— Comment je peux dire ça autrement? demande Léa, frondeuse.

— Il y a mille autres manières de le dire.

— Ben moi, j'ai choisi celle-là.

— OK, tu t'es vraiment levée du mauvais pied, soupire Gabriel.

Léa ne répond pas et lui présente un visage fermé. Gabriel se dit qu'Hélène a sans doute raison. *Arme-toi de patience, c'est l'adolescence qui commence.*

Gabriel et Léa sont arrivés au centre équestre Tarpan depuis un moment et Léa ne s'est toujours pas déridée. Elle prépare son cheval avec nonchalance, répond à peine à son père.

— Ça me tente pas de faire mon cours aujourd'hui.

— Léa…

— Viens me reconduire chez m'man.

— On a une entente pis tu dois la respecter. Je t'ai acheté une nouvelle planche à neige, tu fais ton cours une fois par mois.

— Je file pas, dit Léa qui ment éhontément. J'ai mal au ventre.

Gabriel, malgré ses autoexhortations à la patience, n'en peut plus.

— Bon, là, ça suffit. T'es pas malade pantoute.

— Oui.

— Tu sais ce que je pense des mensonges, Léa…

Léa regarde son père et semble hésiter à lui dire quelque chose. Puis elle se décide et devient très émotive.

— Toi aussi, tu mens, fait que…

— De quoi tu parles ?

— T'as une blonde pis tu le dis pas.

— Hein ? Non.

— Je vous ai vus vendredi dernier devant le Palace. Tu lui touchais la main, dit Léa, les larmes aux yeux, la voix un peu stridente.

— Ah… c'est Hélène, mon avocate et amie.

— Je te crois pas.

— Je te jure, Léa, qu'Hélène est une très bonne amie. C'est tout.

Léa regarde son père. Encore hésitante à le croire.

— OK ? demande Gabriel. Je te mens pas, ma chouette, voyons.

— Bon.

— Fais ton cours d'équitation pis après on ira au planétarium.

— À Montréal ?

— Oui, oui, depuis le temps que tu veux y aller.

Léa est excitée et ravie.

— On pourrait même souper là-bas, si tu veux, ajoute Gabriel.

— T'as dit que tu avais quelque chose ce soir.

— Je vais reporter.

— Maman voudra pas, dit Léa, soudain inquiète.

— Ben oui, je m'en occupe. Mais d'abord, ton cours.

Léa, toute contente de ce nouveau plan de journée, amène son cheval dans le manège où l'attend son professeur. Gabriel, lui, est plus ou moins à l'aise d'avoir ainsi manipulé la vérité.

Hélène a fait les courses et s'est lancée, et ce n'est vraiment pas habituel pour elle, dans la préparation d'un repas. Rôti d'agneau, haricots verts et pommes de terre rôties. Pas compliqué mais quand même, pour Hélène c'est tout un défi. Elle est plongée dans son livre de recettes quand le téléphone sonne. C'est Gabriel qui lui annonce qu'il ne pourra pas être là ce soir.

— J'espère que t'avais pas fait un spécial? demande-t-il.

— Non, non, pas du tout, ment Hélène en regardant l'attirail qu'elle a sorti en vue de ce repas.

— Tant mieux.

— Tout se passe bien avec ta fille?

— Oui, oui, ment Gabriel à son tour.

Pour une raison qu'il ignore, il préfère ne pas parler des doutes de Léa à son sujet. Pour la protéger, peut-être? Pour protéger Léa? Ou peut-être pour s'épargner lui-même…

— C'est seulement que je sens qu'elle a besoin de son père. Je vais passer plus de temps avec elle, aujourd'hui.

— C'est ben correct, le rassure Hélène.

— Merci. Désolé, encore une fois. On se reprend très vite, d'accord?

— Oui, oui, promis.

Hélène raccroche. Malgré ce qu'elle a dit, elle est déçue que ce souper soit annulé. Pas question qu'elle cuisine un rôti pour elle seule. Allez, hop, au congélo. Elle mangera des haricots avec un œuf dur.

De petits sons aigus réveillent Ingrid et Olivier.

— C'est quoi ça?

— Je sais pas…

Ingrid se lève et sort de la chambre pour aller voir de quoi il retourne. Le temps passe et elle ne revient pas.

— Ingrid?

Pas de réponse. Olivier se lève à son tour. Dans un coin du salon, son amoureuse est debout, immobile, secouée par des sanglots. Il se dépêche d'aller la rejoindre. En arrivant près d'elle, il comprend. Il la prend dans ses bras sans parler. Sur le grand coussin où dort la chatte Penny Lane, pleurnichent quatre chatons nés durant la nuit.

— Même la chatte est capable.

Olivier la serre très fort dans ses bras. Mais Ingrid se dégage de son étreinte et court s'enfermer dans la salle de bains. Désemparé, Olivier hésite à aller cogner à une porte qui, il le sait bien, restera close.

CHAPITRE 5

Hélène termine son appel avec maître Veilleux, l'avocate de Martine, très satisfaite. Le litige concernant le Centre équestre est maintenant réglé. Après plusieurs semaines d'allers-retours, Gabriel et Martine se sont enfin entendus sur un pourcentage des profits de Gabriel pour une durée de trois ans. Gabriel aurait préféré deux ans, mais a eu la sagesse d'accepter la dernière contre-offre de Martine pour conclure. Reste la maison du lac Massawippi. Gabriel, elle le sait, ne cédera pas un pouce de terrain dans ce dossier. Et Martine ne renoncera pas à sa demande, maître Veilleux a été catégorique. Hélène se donne le défi de trouver la solution miracle.

Gabriel prépare le repas pour lui et sa fille pendant que cette dernière fait ses devoirs sur la table de la salle à manger. Les demi-vérités qu'il lui a dites à propos d'Hélène, il y a quelques semaines, lui pèsent encore. L'idée de tout raconter lui trotte dans la tête depuis un bout de temps déjà. Il regarde Léa, concentrée sur son travail scolaire, et se dit qu'elle mérite qu'il soit franc avec elle.

Cette semaine, Léa est de bonne humeur, ouverte. Gabriel trouve que le moment est bien choisi. Il brasse son chili, puis dépose la louche.

— En as-tu pour longtemps? lui demande-t-il.

— Non, j'ai fini justement. Je peux prendre mon iPad?

— J'aimerais te parler deux minutes avant.

Gabriel va s'asseoir près de sa fille.

— Je voulais revenir sur une conversation qu'on a eue.

— À propos de quoi?

— D'Hélène, la femme avec laquelle tu m'as vu l'autre fois.

Le regard de Léa devient aussitôt suspicieux.

— Quoi?

— Quand je t'ai dit qu'il n'y avait rien entre nous, que ce n'était pas ma blonde, c'était vrai.

— OK, répond Léa, attendant la suite.

— Mais ce que je ne t'ai pas dit, c'est que, quand le divorce avec ta mère va être réglé, il y a de bonnes chances qu'elle le devienne.

— Ah ouain?

— Oui. On est d'accord qu'on doit être seulement amis d'ici là.

— OK.

— T'es correcte avec ça?

— Je suppose que oui, répond Léa prudemment. Je la connais pas, je peux pas trop savoir...

— Vous allez bien vous entendre, j'en suis certain.

Léa reste silencieuse, l'air de réfléchir à quelque chose.

— On est égal, en fait. Moi aussi, j'ai un chum.

— Ah oui?

Gabriel sourit. Le premier amoureux de sa fille. C'est vrai qu'elle a changé ces derniers mois, qu'elle a vieilli. Sa petite Léa qui devient une femme peu à peu.

— Il s'appelle comment, ton p'tit chum?

— Arnaud. Pis il est pas si petit que ça.

— Il va à ton école?

— Oui.

— Pis tu l'aimes?

— Oui. Il est super fin avec moi.

— Tant mieux alors, répond Gabriel. J'aimerais ça le rencontrer.

— Ben là, p'pa. On va pas se marier…

— Bon, bon…

— Je veux pas que tu dises à tout le monde que j'ai un chum.

— Non, non. Moi non plus, je veux pas parler d'Hélène pour le moment. Tant que ce sera pas une vraie relation. Tu comprends?

— Oui.

— Fait que tout est OK? demande Gabriel.

— Oui, oui. Même si je pense que t'aurais dû me le dire du premier coup. C'est un peu un mensonge quand même.

— Une omission, disons.

— Tu m'as déjà dit que c'était pareil.

Gabriel sourit. Touché.

— C'est réglé, maintenant. Tu peux sortir ta tablette. On va attaquer le chili dans une demi-heure.

❧

Une fois de plus, Olivier tente de convaincre Ingrid de déménager dans la maison bleue.

— *Come on,* Ingrid!

— Quoi?

— C'est pas raisonnable, ton affaire.

— Pis? Où c'est écrit que tout doit être logique et rationnel, rétorque Ingrid.

— Tous les deux, on a eu un coup de foudre. Tu capotais sur cette maison-là.

— Ça, c'était avant.

— Notre vie est pas finie, tsé. On va…

Ingrid le coupe.

— Si tu dis «on va se reprendre», je sais pas ce que je te fais!

— C'est vrai pareil.

— Non! Cette fausse couche-là, c'était la dernière, Oli.

— On va attendre que la poussière soit complètement retombée avant de prendre de grandes décisions, OK?

— Pour moi, c'est clair.

— Que tu veux plus d'enfants? Tu me niaises.

Ingrid se retient juste à temps de lui crier que *non, je ne veux plus être déçue, je veux pas me trouver nulle et inadéquate une autre fois!* Elle regarde le visage incrédule d'Olivier. Elle renonce à confirmer ce qu'il vient de dire. C'est trop gros et elle a peur de le perdre si elle confirme. Elle n'a pas la force d'avoir cette conversation en ce moment.

— Une chose à la fois. Réglons le cas de la maison, on verra pour le reste ensuite.

De son côté, Olivier renonce à aller plus loin dans ses questions concernant les enfants. Il ne veut pas entendre ce qu'Ingrid a à dire. Il préfère continuer à croire que la tempête va passer et que tout redeviendra comme avant. *Bien sûr que tout va revenir comme avant. Même si on vit pas dans la maison bleue.*

— Je veux rester ici, moi, insiste Ingrid. On a commencé à regarder ailleurs parce que ta mère voulait reprendre son condo. Maintenant qu'elle a décidé de garder la maison, on n'a pas de raison de partir.

Olivier soupire.

— OK, je vais voir si on peut récupérer notre dépôt.

— Merci, Oli.

Gabriel est venu luncher avec Hélène qui travaille à la maison, ce jour-là. Ils sont installés à l'îlot.

— Léa nous a vus ensemble.

— Oui, et alors?

— Je lui ai dit que tu étais mon avocate, pis après… ben…

— Oui ?

— Je me suis senti mal. Moi qui prône toujours la franchise et la vérité…

— Mais c'est la vérité. Je ne suis que ton avocate.

— Pour le moment, réplique Gabriel.

— Qu'est-ce que tu lui as dit ?

— Qu'on deviendrait un couple plus tard, après le divorce.

Hélène pince les lèvres et soupire, très agacée.

— T'as l'air contrarié, constate Gabriel.

— Je le suis, confirme Hélène.

— Pourquoi ?

— Parce que je trouve ça prématuré.

— Oui, mais je ne me sentais pas à l'aise de lui mentir.

— Je suis pas très chaude à l'idée que la première personne à qui tu l'annonces soit ta fille de treize ans.

— Elle l'a très bien pris.

— Peut-être, mais va falloir que tu gères Martine maintenant.

— Ben non, pourquoi tu dis ça ?

— Léa va lui en parler. C'est sûr.

— Pas du tout. Je lui ai dit que je préférais qu'on garde ça pour nous pour l'instant.

Hélène fait une mimique un peu étonnée.

— Quoi encore, lance Gabriel.

— Franchement ? T'as vraiment demandé à ta fille, préado, de garder un secret comme celui-là ?

— Tu dramatises pas un peu ? répond Gabriel qui choisit de prendre les commentaires d'Hélène avec légèreté.

— Non. Je te dis comment je me sens face à ça.

— Tu connais pas Léa.

— Pas nécessaire pour avoir une opinion sur le sujet.

— Elle est très mature pour son âge. Attends de la connaître.

Hélène esquisse une moue dubitative.

Christine entre dans le bureau d'Hélène, visiblement émotive.

— Est-ce que je peux vous parler quelques minutes?

— Bien sûr. À quel sujet?

— Maître Daoust!

— Qu'est-ce qui se passe, cette fois-ci? demande Hélène, découragée de son adjointe.

Christine est au bord des larmes: il fait exprès pour l'agacer sans arrêt. Elle n'en peut plus.

— T'es certaine que t'en mets pas un peu? Je suis vraiment surprise, Christine. Hugo est pas méchant.

— Si vous saviez, c'est pas drôle du tout.

— Bon.

— Allez-vous lui parler? implore Christine.

— Oui, je vais le faire. Encore une fois, répond Hélène en soupirant.

— Je continuerai pas à travailler longtemps dans ces conditions-là.

— Christine, fais-moi pas peur.

— Vous le savez comment je vous aime, maître Bouchard, mais ça commence à être trop.

— OK, je vais régler ça.

— Hugo, faut que tu slaques un peu, avertit Hélène.

— À propos de quoi? demande le jeune homme.

— Christine.

— Je te jure que je me force vraiment pour respecter ses codes de couleurs. Si je me suis trompé, c'est vraiment malgré moi.

— Non, le reste.

Hugo la regarde, sincèrement étonné.

— Elle est venue me voir, elle pleurait presque, précise Hélène.

— Hein? Ben voyons donc.

— Elle croit que tu ris d'elle.

— Jamais de la vie! Elle comprend pas mon humour, c'est sûr! réagit vivement Hugo.

— Selon elle...

— Je te jure, Hélène.

— Comment ça se fait qu'elle est toute à l'envers alors? demande Hélène.

— Je le sais pas. Pour vrai.

— Fais quelque chose. Mets la pédale douce à ton humour. Je peux pas la perdre, tu comprends.

— Il est quand même pas question qu'elle parte? s'enquiert Hugo, démonté.

— Elle y a fait allusion.

— À cause de moi?

— Ben... oui. Elle est hyper compétente et j'y suis très attachée. Je comprends qu'elle puisse t'agacer par moments, mais...

— Même pas. Je la trouve plutôt attendrissante, en fait, avoue Hugo candidement.

Hélène redemande à Hugo de modifier son comportement envers leur adjointe. Hugo, désolé du malentendu, s'y engage avec sincérité.

❧

— Papa, je vais voir un film à l'Élysée vendredi soir, OK?

— À quelle heure? demande Gabriel.

— À 7 h, répond Léa.

— Avec qui tu y vas?

— Avec mon chum.

— Juste lui?

— Oui.

— Ça va finir à 9 h et je suis pris vendredi soir, je pourrai pas aller vous chercher. Pis je veux pas que tu sois dans les rues à cette heure-là. Allez plutôt voir votre film à 5 h.

— Ben non, Arnaud va venir me reconduire ici après.

— OK, si ses parents acceptent de vous véhiculer…

— Hein? Pas ses parents, lui. Sa mère lui passe son auto.

Gabriel regarde Léa, bouche bée.

— Il conduit une auto?

— Ben oui, répond Léa fièrement.

— Mais il a quel âge?!

— Dix-sept ans.

— Ben voyons, Léa!

— Quoi? demande Léa, tout innocente.

Gabriel s'exhorte au calme.

— T'as treize ans, ma chouette. Tu m'as dit que vous alliez à la même école.

— Ben oui, il est en cinquième secondaire.

— J'ai cru que c'était un garçon de ton âge quand tu m'as parlé de lui.

— Qu'est-ce que ça fait? demande Léa, le visage fermé.

— Il est ben trop vieux pour toi.

— Non.

— Oui, réplique Gabriel fermement.

— Tu dis tout le temps que je suis mature pour mon âge. Les gars de treize, quatorze ans, c'est des cons. Sont tellement bébés, jamais je pourrais…

— Peut-être mais tu sortiras pas avec un garçon de dix-sept ans non plus. Pas question!

— Maman le sait, pis elle est correcte avec ça, elle.

Léa quitte la pièce et va dans sa chambre. C'est un claquement de porte retentissant qui aura eu le dernier mot de cette discussion.

À peine Martine a-t-elle ouvert la porte que Gabriel s'engouffre dans la maison, avec quelques flocons de neige accrochés à ses bottes. Il contient difficilement sa colère. Martine est surprise voire inquiète de cette visite.

— Mon Dieu, qu'est-ce qui se passe?

— Tu savais ça, toi, que Léa sort avec un gars de dix-sept ans?

— C'est pas un gars de même, c'est Arnaud Tremblay.

— Il a quel âge?

— Seize ans, me semble.

— Dix-sept, rétorque Gabriel.

— On le connaît depuis qu'il est haut comme ça. Tu sais c'est qui. Il reste à trois maisons d'ici.

— Ah ouain, lui... répond Gabriel en se souvenant vaguement.

— Sa mère est une amie. C'est quoi le problème?

— Depuis combien de temps tu le sais, toi? demande Gabriel.

— Je sais pas, deux mois peut-être.

— Tu trouves ça normal que notre fille de treize ans sorte avec un gars de cet âge-là?

— Ça se pose pas de même.

— Oui. Ça le rajeunit pas, qu'on connaisse sa mère.

— Calme-toi. C'est innocent. Ils regardent des vidéos, ils vont au cinéma ensemble. C'est tout.

— Voyons, Martine! Je sais c'est quoi, être un gars de cet âge-là.

— Tu vois le mal partout. Fais pas un drame avec ça, s'il te plaît.

— Elle est trop jeune pour lui.

— Va ben falloir que tu lâches prise, à un moment donné. Léa vieillit, tu sais. Tu commences à perdre le contrôle, pis ça t'achale. C'est ça l'affaire, déclare Martine.

— C'est encore une enfant sous bien des aspects. Pour vrai, Martine, je peux pas croire que tu trouves ça correct. Peut-être que ça t'a échappé parce que tu le connais depuis si longtemps, mais...

— Tu vas encore me faire passer pour une mauvaise mère.

— Je fais pas ça.

— Tout le temps.

— On parle de Léa, là, pas de nous, précise Gabriel.

— C'est vraiment agaçant que t'essaies de te remonter en me marchant dessus.

— Es-tu sérieuse?

— C'est fini le temps où tu me faisais filer *cheap*.

Gabriel soupire. Quand ils ne s'entendent pas, les conversations finissent toujours ainsi. Martine l'accuse de miner son estime d'elle-même. Gabriel ne veut pas s'engager sur ce chemin-là une fois de plus.

— Faut que j'y aille. Reparlons de tout ça plus tard. OK?

— Léa arrêtera pas de le voir parce que tu trouves qu'il est trop vieux pour elle. Tu la connais autant que moi. Vous avez la même tête de cochon.

— Elle a treize ans. On a encore un mot à dire sur ses fréquentations. Ça n'en restera pas là, dit Gabriel avant de tourner les talons.

Martine referme la porte derrière lui et reste songeuse un moment.

Elle se dirige à la cuisine pour se préparer du thé. Elle a besoin de décanter tout ça. Gabriel a peut-être raison. Le fait que ce soit le p'tit Arnaud, comme elle le surnomme depuis qu'elle l'a connu il y a une quinzaine d'années, lui a peut-être fait oublier qu'il n'est plus si petit que ça. Même qu'elle se rappelle avoir été un peu surprise de le voir arriver l'autre jour avec ses six pieds un pouce et sa voix grave. Ça la rend affreusement mal à l'aise soudainement. Et coupable d'avoir laissé passer ça. Léa n'est pas en âge de gérer les hormones d'un presque adulte.

Le lendemain soir, quand sa fille revient de l'école, Martine se retient d'aborder le sujet aussitôt. Au souper, elle met des gants blancs pour sonder sa fille et mieux connaître la nature de sa relation avec Arnaud. D'abord ouverte, Léa est rapidement agacée par les questions de sa mère.

— C'est quoi là? demande Léa.

— Rien… je pensais à ça, pis je me disais que vous avez quand même une importante différence d'âge.

— P'pa t'a parlé, hein?

— Oui, on se parle de toi parfois, cocotte.

— Il capote pour rien.

— Il se passe rien, donc, entre toi et Arnaud?

— Ben non, ouache.

Malgré cette réaction un peu enfantine, Martine est plus ou moins rassurée.

— Peut-être que tu devrais penser à sortir avec des garçons de ton âge.

— Oh non, pas toi aussi!

Martine touche la main de sa fille en signe de paix. Mais Léa est passée en mode attaque.

— C'est parce que t'es jalouse que tu dis ça.

— Hein? Qu'est-ce que tu racontes? demande Martine.

— T'avais aucun problème avec ça, pis là maintenant que p'pa a une blonde, tu capotes. C'est pas la fin du monde non plus si t'es la seule dans la famille qui est pas en couple.

— Ton père a une blonde? demande Martine, livide.

— Oui, son avocate. J'ai un travail de recherche à finir. Je vais prendre mon dessert plus tard. OK?

— OK, répond Martine machinalement pendant que Léa sort de table et va vers sa chambre.

Même si elle se doutait que ce jour-là arriverait, Martine est sous le choc. Gabriel, son Gabriel, est avec une autre femme. Déjà, ça, c'est un coup dur à encaisser. Mais que cette femme soit son avocate, ça ne passe pas. Quel manque de professionnalisme! La colère monte en elle comme un geyser. C'est inacceptable!

❧

Hélène marche d'un bon pas sur la rue Principale en se dirigeant vers son bureau, lorsqu'elle entend quelqu'un qui l'interpelle.

— Maître Bouchard!

Elle s'arrête et se retourne. Une femme d'une cinquantaine d'années, petite, un peu maigre, les cheveux mi-longs fins et droits, referme la portière de son auto et marche à grands pas vers elle. À cause du froid, elle s'empresse de boutonner son manteau de cachemire beige ouvert. Hélène remarque qu'elle porte des jeans et un t-shirt bleu pâle.

— Oui? demande Hélène, souriante.

— Hélène Bouchard, c'est ça?

Hélène acquiesce. Elle se présente: Martine Beauregard, la femme de Gabriel Delisle. Hélène perd aussitôt son sourire. Martine s'est visiblement préparée pour cette confrontation. Elle parle d'une traite.

— Je sais que vous êtes en relation avec mon mari.

— Oui, je suis son avocate.

— Non, non, l'autre relation, personnelle celle-là. Laissez-moi vous dire que c'est l'attitude la moins professionnelle qu'il m'ait été donné de voir. Quel manque d'éthique! Êtes-vous certaine que le Barreau serait d'accord avec ça? Sans compter qu'il n'est pas encore divorcé, vous êtes bien placée pour le savoir. C'est minable, crache-t-elle.

— Vous êtes mal renseignée, madame Beauregard. Ma relation avec votre ex-mari est uniquement professionnelle.

— Pfft... Même ma fille de treize ans est au courant. Et ça, maître Bouchard, ça passe pas! Ça restera pas là, vous pouvez en être certaine.

Martine tourne les talons. Hélène reste en plan, angoissée. Cette femme peut-elle réellement lui faire du tort? *Tu savais que tu jouais avec le feu en entretenant cette « amitié » avec Gabriel. Ben voilà! Meeeerde!* Elle reprend le chemin du bureau, sa bonne humeur totalement envolée.

Ingrid est allée souper chez ses parents. William, son père, s'en va écrire dans une résidence au Mexique pendant six mois! Elle est heureuse pour lui, mais elle a eu un drôle de *feeling*. L'atmosphère était bizarre. Julie, sa mère, n'était pas comme d'habitude. Sans doute à cause du départ imminent de son homme qu'elle a décidé de ne pas accompagner.

Quand Ingrid rentre au condo, Olivier l'attend avec une mauvaise nouvelle.

— On a eu la réponse du vendeur.

— Pis? demande Ingrid, un peu anxieuse.

— C'est un non catégorique. Même qu'il a menacé de nous poursuivre pour rupture de contrat.

Olivier propose de déménager et de voir ensuite. Ingrid refuse net. Jamais elle ne déménagera dans cette maison.

— On fait quoi, alors?

— On l'achète pis on la revend.

Olivier soutient qu'ils vont perdre de l'argent, mais Ingrid s'en fout. Elle ne veut rien savoir de cette maison. Olivier ne comprend toujours rien à cette lubie, mais pour la jeune femme, c'est clair. Cette maison était le symbole de leur vie familiale, de la venue prochaine du bébé. Pas de bébé, pas de maison. Le rêve d'une vie de famille a été détruit par la deuxième fausse couche. L'idée d'aller là et d'avoir sans cesse le rappel de son échec est insoutenable.

— T'es absolument certaine que tu veux faire ça? Je trouve que...

— Oui, je suis 100 % sûre. Si on perd de l'argent, je vais le couvrir avec mon héritage. Toi, tu perdras rien. Est-ce que ça te rend moins nerveux, là?

— *Come on,* t'es injuste, là. Voire si...

— Je veux juste que ça soit derrière nous au plus sacrant.

Olivier secoue la tête. Ils feront comme elle le souhaite.

— OK, j'appelle Mario.

Gabriel vient chercher Hélène pour le souper. Cette dernière l'accueille froidement.

— T'as pas eu mon message ?

— J'ai vu que tu m'avais téléphoné, mais j'étais en route. Je me suis dit qu'on se parlerait de vive voix plutôt.

— Je te disais que j'annule le souper.

— Hein ? Pourquoi ?

Gabriel remarque enfin le visage fermé d'Hélène.

— Il y a quelque chose qui va pas ?

Hélène raconte à Gabriel sa rencontre avec Martine.

— Tu me niaises ? Elle a pas fait ça ?

— Oui. Pis franchement, j'aurais apprécié que tu me dises qu'elle était au courant pour nous deux.

— Je le savais pas ! se défend Gabriel.

Silence. Ils arrivent à la même conclusion.

— Léa…

— J'aimerais mieux pas le renoter, mais…

— Oui, je sais, tu me l'avais dit. J'aurais pas dû la mettre au courant.

Gabriel se surprend lui-même. Il n'a pas l'habitude de reconnaître ses torts aussi rapidement. Il comprend qu'il préfère protéger sa relation avec Hélène qu'avoir raison. Ça aussi, c'est nouveau pour lui.

— Je vais parler à Martine.

— Le mal est fait. Je vois pas trop ce que ça va donner.

— C'est intolérable, ces menaces-là. Pis pour ce qui est de Léa, je vais la tenir en dehors de ça complètement.

— Là aussi, c'est un peu tard, non ?

Gabriel réfléchit et en vient vite à la même conclusion qu'Hélène : il n'y peut pas grand-chose maintenant. Il va vers elle. Hélène a d'abord un mouvement de recul. Mais Gabriel lui prend les mains et la regarde dans les yeux.

— Je me suis vraiment gouré. Je suis désolé que ce soit retombé sur toi. Si je pouvais défaire ça…

Il plonge son regard dans le sien. Elle qui, pas plus tard qu'une heure auparavant, avait pris la résolution de tout arrêter, voilà qu'il n'en est plus question. Elle tient furieusement à cet homme. Renoncer à lui ? Jamais. Pour ça aussi, il est trop tard. Gabriel sent sa résistance disparaître. Il la prend dans ses bras et lui chuchote à l'oreille.

— Je suis désolé, Hélène. Me pardonnes-tu ?

En guise de réponse, Hélène se blottit contre lui.

Profitant de ce qu'Ingrid est partie faire des courses, Olivier a sorti tous les petits chats de leur cachette. C'est lui qui s'en occupe, puisque Ingrid ne supporte même pas de les regarder. Olivier s'est couché sur le sol et les quatre petits chatons caracolent autour de lui, grimpent sur ses jambes, s'accrochent à ses cheveux. Il adore ça !

— *Come on*, Léon, arrête de gosser Nathan.

Mais les mâles tout gris, éveillés et enthousiastes, continuent de se chamailler sur le ventre d'Olivier. La petite femelle tachetée noir et blanc s'est blottie dans son cou.

— Oh, Zoé, t'es toute douce…

Il cherche l'autre, noire avec une mini-tache blanche sur le front.

— T'es où, Aimée ? Aimée !

Olivier a un peu perdu la notion du temps et n'a pas entendu Ingrid revenir. Quand elle entend les noms des chatons, elle se fige, mécontente.

— T'es pas sérieux, Olivier !

Olivier se retourne, surpris de la voir là.

— Ah, t'es déjà revenue.

— T'as donné aux chats les noms de notre bébé ?!

— Euh…

— T'es tellement poche, là!

Olivier s'empresse de remettre les chats dans leur boîte avec leur mère et va rejoindre Ingrid dans la chambre.

— Choque-toi pas.

— Tu trouves ça intelligent, toi, faire ça?

Olivier est un peu désemparé face à la réaction d'Ingrid. Il a donné ces noms aux chatons parce que ce sont les premiers qui lui sont venus à l'esprit. Il n'avait aucune arrière-pensée.

— Ça fait deux fausses couches que je fais. Pis toi, tu donnes NOS noms aux chats. Bravo. Très sensible de ta part.

— Calme-toi. J'ai pas pensé à mal.

— T'as pas pensé pantoute, si tu veux mon avis.

— Ben là…

— Si tu crois que c'est en faisant des affaires comme ça que je vais remonter…

Olivier réalise qu'elle réagit avec colère, mais qu'elle est surtout blessée.

— Je voulais pas te faire de la peine, ma belle blonde.

— Ben c'est raté. T'as gâché ma journée ben raide.

— Je me suis excusé! Tu charries, là, Ingrid Harrison! rétorque Olivier, choqué à son tour.

Il tourne les talons, va dans la chambre et claque la porte. Il commence à en avoir jusque-là des sautes d'humeur de sa femme.

Malgré ses bonnes résolutions, Gabriel n'a pu s'empêcher de venir parler à Martine de son attaque contre Hélène. Il se poste près de la porte de l'animalerie et attend qu'elle sorte pour le dîner. En effet, il n'est là que depuis quelques minutes quand Martine sort avec une autre employée. Elles discutent joyeusement. Martine s'arrête net quand elle aperçoit son ex. Gabriel salue les deux femmes et dit à Martine qu'il aimerait lui parler quelques minutes.

— OK, mais pas longtemps, j'ai juste une heure pour manger. Je vais aller te rejoindre au restaurant, dit-elle à sa collègue.

— En quel honneur t'es allée faire une scène à mon avocate?

— C'est à ton amante que je me suis adressée.

— C'est juste une amie.

— À qui t'essaies de faire croire ça?

— C'est la vérité.

Martine change de registre et passe à l'attaque.

— J'accepterai pas que tu exposes ma fille à tes maîtresses.

— Martine, j'ai personne dans ma vie depuis qu'on s'est laissés. Pis Hélène Bouchard est pas ma maîtresse. Arrête avec ça.

— Pourquoi Léa m'a dit ça, alors?

— Parce que…

— Oui?

— Parce que je lui ai dit, et je dois dire que je regrette d'avoir fait ça, que, après notre divorce, il y avait une possibilité qu'Hélène et moi…

— Je le savais que c'était plus que ton avocate. Tu vois, tu mens, accuse Martine.

— Non! Par souci d'éthique, justement, il se passe rien. E-rien.

— C'est encore moi, le dindon de la farce.

— De quoi tu parles? rétorque Gabriel agacé.

— La femme trompée, l'épaisse qui…

— Martine, arrête. On est séparés depuis deux ans.

— Faut que j'y aille. J'ai plus rien à te dire, de toute façon.

— Tu ne contactes plus maître Bouchard, avertit Gabriel.

— Des menaces? C'est mon avocate qui va être contente d'apprendre ça.

Martine s'éloigne à grands pas. Gabriel reste là, habité par une colère froide contre son ex-femme.

Le soleil se lève à peine sur ce matin silencieux de la mi-janvier. Hélène est venue se recueillir sur la tombe d'Étienne avant d'aller travailler. Elle a besoin de faire le point. Elle enroule son châle de cachemire autour de sa tête et de son cou. Il fait froid ce matin. *Étienne, je sais que tu veux mon bonheur, que j'ai ta bénédiction pour poursuivre ma vie. Même ma vie amoureuse. Mais là, je sais plus trop...* Elle se demande si cette intervention de Martine n'est pas un signe qu'elle doit tout arrêter. Sauf que... *quand Gabriel est là, je n'ai plus aucune volonté d'arrêter notre relation. Je fais quoi, Étienne ? J'ai rien demandé et ça me tombe dessus.* Mais Étienne ne se manifeste d'aucune manière. Hélène doit se résoudre à décider toute seule.

Chapitre 6

Les petits chats ont grandi et on les retrouve partout dans le condo. Olivier trouve ça craquant, mais Ingrid ne s'y intéresse pas. Elle câline Penny Lane, la maman, mais elle évite les chatons.

— Oli, t'avais promis que tu trouverais des gens pour adopter les chats à huit semaines.

— C'est dans trois jours seulement.

— Exactement.

— Il y a pas le feu, quand même.

Oui, selon Ingrid. Elle fait valoir ses arguments. La litière déborde chaque jour, ils mangent maintenant de la nourriture en boîte et ça commence à coûter cher, ils ont déjà détruit un châle de lin (le préféré d'Ingrid), des bas, et ils font leurs griffes sur le coin du canapé. Il est temps qu'ils quittent la maison. Olivier comprend que, bien qu'elle n'en parle pas, la vue des chatons lui rappelle son échec d'être mère. Pour lui, c'est tout le contraire. Ces bébés chats sont pour lui un signe d'espoir, une preuve aussi que la vie est plus forte que tout. Leur présence le rassure sur l'avenir. C'est pour ça qu'il n'est pas pressé de s'en défaire. Mais la souffrance d'Ingrid le touche et il promet : les minous seront partis avant la fin de la semaine.

Ce matin-là, Gabriel va reconduire Léa à l'école. Dans la voiture, celle-ci lui annonce :

— Je suis allée voir le site de la firme Bouchard. Je voulais voir de quoi elle avait l'air, ta future nouvelle blonde.

Gabriel est surpris, mais tente de ne pas le laisser paraître.

— Pour l'instant, c'est juste mon avocate. On a déjà parlé de ça, pis ça a fait assez de dégâts.

— Oui, oui, élude Léa. Elle est belle.

— Tu trouves ?

— Mets-en. Il y a aussi plein de photos d'elle dans *L'Écho de Yamaska*. Elle est toujours super chic, *full* classe.

— C'est vrai, dit Gabriel, tentant de ne pas montrer qu'il est bien content que sa fille trouve Hélène de son goût.

— J'aimerais ça la rencontrer.

— En temps et lieu.

— Non, plus vite que ça.

— C'est trop tôt, ma chouette.

— Pourquoi ?

Gabriel explique une fois de plus à sa fille qu'une rencontre est prématurée. Hélène est son avocate et ce ne serait pas une bonne idée, surtout maintenant que Martine pense qu'il se passe quelque chose entre eux, alors que ce n'est pas le cas. Il ne lui dit pas qu'Hélène refuserait catégoriquement de la rencontrer. Léa est mécontente. Son silence boudeur, tout le reste du trajet, en est la preuve.

Marie-Pier est venue rendre visite à son amie Ingrid. Elles ne se voient plus très souvent maintenant que Brian et Marie-Pier vivent à Montréal. Mais quand elles se retrouvent, leur amitié les fait se reconnecter presque instantanément. Marie-Pier a terminé ses études l'an dernier et elle a aussitôt été recrutée par une agence de production de spectacles. Elle *a-do-re* son travail. Brian, lui, travaille dans un centre de rénovation axé sur la récupération. Le couple vit toujours dans le petit appart que Marie-Pier avait déniché après la cure de désintox de Brian. Ils n'ont pas besoin de plus grand et économisent dans le but de partir, dans quelques années, un an ou peut-être même deux, en voyage autour du monde.

C'est la première fois que les amies se revoient depuis la deuxième fausse couche d'Ingrid. À peine Marie-Pier est-elle entrée qu'Ingrid éclate en sanglots. Elle pleure longuement dans les bras de son amie d'enfance.

— Je suis tellement démolie, là…

— Je vois ça, pauvre cocotte, compatit Marie-Pier.

— Deux fausses couches.

— C'est pas si rare que ça a l'air.

— Peut-être, mais pour moi c'est fini, les bébés. Les curetages, la peine, me sentir nulle. Pus capable.

Marie-Pier est étonnée : son amie veut une famille depuis toujours. Ingrid lui répète ce qu'elle a déjà dit à Olivier. Elle ne pourrait pas vivre l'échec d'une troisième fausse couche. Marie-Pier soupçonne que, avec le temps, Ingrid va changer d'idée. Mais cette dernière est catégorique. C'est fini. Elle a beaucoup réfléchi et c'est clair.

— Je vais faire comme toi.

Marie-Pier et Brian ont décidé depuis un bon moment déjà qu'ils n'auraient pas d'enfants. Quand Marie-Pier avait annoncé cette décision à Ingrid, cette dernière avait été presque choquée. Comment peut-on prendre la décision de mettre un trait sur la famille ?! Mais la voilà rendue à la même place.

— Qu'est-ce qu'Olivier dit de ça ?

— Je lui ai fait part de mes intentions, mais il me croit pas.

— Ouain…

— Je suis même prête à accepter qu'on se sépare s'il veut absolument en avoir.

— Wô! T'es un peu intense, là. Tu trouves pas? Tu as dit ça à Oli?

— Non, c'est juste pour te dire à quel point je suis sûre de ma décision.

— C'est pas la fin du monde non plus de pas avoir d'enfants.

— Un peu quand même. C'est pas tout à fait volontaire dans mon cas. La vie me force à prendre cette décision-là.

Ingrid se sent un peu mieux d'avoir pu se confier à son amie. Puis la conversation bifurque sur le nouvel emploi de Marie-Pier. Comme le bureau est à Longueuil, elle est toujours en sens inverse de la circulation. Elle adore sa patronne, ses collègues.

— Pour vrai, je travaille comme une malade, mais je suis sur un nuage depuis que je suis là.

Ce soir-là, Marie-Pier repart vers Montréal avec un petit chat pour sa voisine qui était justement à la recherche d'un minou.

❧

Suzie prend la petite femelle dans ses bras.

— Merci, Oli, elle est tellement trop *cute*!

— Vous allez l'appeler comment?

— Kendrick. Oui, je le sais, c'est un nom de gars, mais je m'en fous, dit Suzie.

— Elle tripe ben raide sur Kendrick Lamar, le rappeur, explique Théo. Il a fallu que j'aille acheter mille cossins hier soir. La litière, la bouffe, les jeux, les panneaux de carton pour les griffes. Plus de cinquante piasses que ça m'a coûté.

— Qu'est-ce que tu ferais pas pour rendre ta blonde heureuse, lance Suzie avec un sourire.

Théo et Suzie se regardent amoureusement. Olivier se surprend à les envier. Sa relation avec Ingrid, depuis la fausse couche, s'est vraiment détériorée.

— Pis ta maison? demande Théo.

— On passe chez le notaire dans quelques jours, pis je la remets en vente tout de suite après.

— *Shit,* tu vas tellement perdre d'argent, dit Suzie.

— Je vais sûrement pouvoir la vendre le prix que je l'ai payée, plaide Olivier.

— Peut-être, mais tu vas avoir dépensé pour le notaire, la taxe de Bienvenue pis toute, rétorque Suzie.

— Tu devrais faire quelques rénos avant de vendre, suggère Théo. Au moins, tu rentrerais un peu dans ton argent.

— Ouain, réfléchit Olivier.

— Pis la louer un an ou deux, renchérit Suzie.

— Ah non, je veux pas gérer des locataires. J'ai pas besoin de ce genre de trouble-là. À moins que ça soit vous deux qui me la louez. Là, j'y penserais.

— Oh, que je veux pas encore déménager, lance Suzie. Je viens de le faire. Je bouge pas avant au moins cinq ans.

Une cliente, qui entre dans le bureau, interrompt leur conversation. En s'approchant pour l'accueillir, Olivier voit Suzie qui va donner un doux baiser à son chum. Une fois de plus, il a un pincement au cœur.

Gabriel prépare le repas du soir quand Léa revient à la charge.

— J'ai un travail de recherche à faire.

— Ah bon.

— Les gars doivent le faire sur un homme de carrière. Nous autres, les filles, sur une femme.

— Tu devrais demander à ta tante Mylène.

— Elle est déjà venue dans ma classe, l'année dernière, rétorque Léa.

— Pas grave, ça.

— En fait, j'ai eu une autre idée, déclare Léa.

— Ah oui? Laquelle?

— Hélène Bouchard, ton avocate.

Gabriel arrête sec et se tourne vers sa fille.

— Voyons, Léa. Je sais plus comment te le dire. C'est trop tôt pour que tu la rencontres.

— C'est une vraie femme de carrière, elle. C'est une avocate reconnue à Granby. Ça serait pas notre rencontre officielle. Une interview, c'est pas pareil.

— C'est pas mieux. C'est non.

— T'es donc ben plate.

— Arrête avec Hélène. Ça tourne à l'obsession, ton affaire.

— J'ai ben le droit d'être curieuse. On va vivre ensemble dans quelque temps.

— Hein ? Ben non. Où t'es allée chercher ça ?

— Si vous êtes un couple, c'est sûr qu'elle va emménager avec nous. Gabriel préfère en rire.

— Ma chouette, t'as vraiment trop d'imagination. Oublie Hélène pour le moment. Quand on sera rendus là, je vais te la présenter. D'ici là, le sujet est clos. D'accord ?

Léa soupire, exaspérée par le manque d'ouverture de son père.

***

Ce matin, Suzie s'est pointée tôt chez DuoBuzzz avec une bonne nouvelle pour Olivier.

— J'ai trouvé un locataire pour ta maison !

— Hein ? répond Olivier, surpris.

— Ben oui, quelqu'un dans notre genre, que t'auras pas à gérer.

— J'ai rien décidé encore. Même que je suis pas mal sûr qu'Ingrid voudra pas la garder. J'espère que t'as rien promis.

— Un peu quand même. T'étais prêt à nous la louer, l'autre jour.

— On jasait… Je t'avais rien demandé. Pourquoi t'as fait ça ?

— Excuse-moi de vouloir t'aider, dit Suzie, vexée.

— Tu m'aides pas pantoute en te mêlant de mes affaires. Maudit, Suzie…

— OK, OK. Tu y diras toi-même à Geof que ça marche pas.

— Geoffroy! T'as offert ma maison à Geoffroy sans m'en parler. Ben là. C'est à toi à lui dire.

— *Nope!* Moi, je me mêle plus de tes affaires, déclare Suzie.

Elle poursuit en marmonnant: C'est la dernière fois en ostie que je te rends service, toi.

❧

Agacé, Olivier ne tarde pas à aller voir Geoffroy pour lui dire que l'idée de Suzie ne fonctionne pas. Il se pointe au Café Vert avant le coup de midi. Ça lui fait drôle de penser que Geoffroy est maintenant propriétaire du Café de son père. Geoffroy fait la mise en place au moment où Olivier arrive. Ce dernier ne tourne pas autour du pot et annonce tout de suite la raison de sa visite. Suzie a pensé bien faire, mais la petite maison bleue n'est pas à louer.

Geoffroy n'est pas si surpris, il connaît Suzie lui aussi. Cela dit, il y a pensé quand même.

— Je nous ai imaginés en train de faire les rénos ensemble. Avoue qu'on pourrait avoir du fun.

Olivier en convient. La vie les a éloignés depuis quelque temps. C'est vrai que ce serait un bon moyen de se rapprocher. Sans s'en rendre compte, Olivier s'anime à cette idée. Il montre des photos de la maison à Geoffroy et ils sont d'accord spontanément sur les travaux à effectuer. Ils discutent même d'un éventuel prix pour le loyer. Avec l'arrivée du bébé, Geoffroy et Alicia cherchent quelque chose de plus grand, mais ne veulent rien acheter car toutes les économies de Geoffroy iront pour l'achat du café. Olivier demande à Geoffroy d'attendre quelques jours avant de se mettre à la recherche d'une autre maison à louer. Il va y réfléchir et en parler à Ingrid.

❧

Autant l'idée de louer à Geoffroy semblait séduisante au café, autant elle lui paraît difficile à «vendre» à Ingrid. Cette dernière lui présente un visage fermé dès qu'il dit avoir eu une bonne idée pour la maison. Il se lance tout de même et explique que Geoffroy l'aiderait à faire les rénos gratuitement, qu'il pourrait payer un loyer équivalent au prix de l'hypothèque, que lui et Alicia resteraient au moins cinq ans, le temps que la maison prenne de la valeur et puisse être vendue avec un bon profit.

— Pourquoi tu peux juste pas faire ce qu'on s'est dit : la vendre ?

— *Come on*, Ingrid, arrête d'être si émotive chaque fois qu'il est question de cette maison-là. Essayons de prendre une décision rationnelle, OK ?

Ingrid accuse le coup.

— Faudrait quand même payer les taxes. C'est-tu assez rationnel comme question, ça ?

— On y a pensé. On les paierait, oui, mais ça compenserait pour le travail de Geoffroy dans les rénos.

— Je vois que vous avez pensé à tout.

— On trouve ça le fun de faire quelque chose ensemble. Pis pour toi et moi, financièrement, ça serait avantageux.

Ingrid réfléchit. Olivier attend anxieusement le verdict.

— Je veux pas m'en mêler.

— Non, non. Je prends tout en main.

— Pis si on perd de l'argent, c'est toi qui rembourses.

— OK, pis si on en fait un profit, on partage ? Wow, ça c'est vraiment *fair*, dit-il ironiquement.

— C'est ça ou on la vend, rétorque Ingrid.

— OK. De toute façon, j'ai pas l'intention de perdre de l'argent. Aucune chance, déclare-t-il avec assurance.

Sur ces mots, il va chercher une des deux petites chattes femelles et la met dans une boîte de carton.

— Je vais porter celle-ci chez ma mère.

— Hélène veut un chat ? s'étonne Ingrid.

— Oui. Elle dit que c'est en lien avec sa décision de garder la maison de p'pa, que ça va la *grounder*.

❧

Olivier sourit en regardant sa mère prendre la petite chatte à la tache blanche sur le front. On dirait bien qu'elle est intimidée. Maître Bouchard, qui n'a peur de rien, qui affronte n'importe quel autre avocat avec assurance, est complètement démunie devant cette petite chose de 800 grammes.

— C'est-tu comme ça qu'il faut la prendre?

— Il y a pas de manière. Si ça fait pas, elle va te le faire savoir.

— Je vais l'appeler Suzanne.

— Suzanne? Drôle de nom.

— Oui, comme Suzanne Filion, la première femme avocate francophone du Québec.

— Wow. Ça va être lourd à porter.

Hélène tourne la chatte vers elle et la regarde.

— Elle est capable de le prendre. Je le vois dans ses yeux.

Hélène s'affaire ensuite à préparer du café en demandant des nouvelles d'Ingrid.

— Bof, fait Olivier.

— Qu'est-ce que ça veut dire, ça? demande Hélène.

— Mettons qu'elle est pas facile.

Olivier raconte à quel point Ingrid est occupée, ces temps-ci. Elle a recommencé à travailler et a accepté beaucoup de contrats, tellement qu'elle se noie dans le travail. La semaine précédente, ils n'ont soupé ensemble que deux fois. Les autres fois, Olivier a mangé seul pendant qu'Ingrid, à l'autre bout de la table, travaillait pour pouvoir respecter une échéance.

— Ça arrive. Tu devrais comprendre, toi qui as souvent des gros *rushs* quand vous avez des événements.

— Oui, mais c'est pas juste ça...

Olivier poursuit. Ingrid ne semble jamais être d'accord avec ce qu'il propose. Elle est négative, elle n'est jamais de bonne humeur, toujours à prendre avec des pincettes. Eux qui se vantaient de n'avoir que de rares prises de bec, les voilà qui se chicanent régulièrement. Il a l'impression de lui taper sur les nerfs, de ne jamais dire ce qu'il faut. C'est rendu qu'il revient au condo avec appréhension, en se demandant toujours comment il se fera recevoir par sa femme.

— C'est sûrement les conséquences de la fausse couche, pense Hélène.

— Je veux ben croire, mais ça commence à faire longtemps, pis moi je suis tanné de son humeur de bouette. C'est pas de ma faute, quand même!

Hélène regarde son fils un peu froidement.

— Alors? Qu'est-ce que tu vas faire?

— Je le sais-tu, moi. L'endurer, je suppose.

Olivier remarque le regard de sa mère.

— Quoi? Qu'est-ce qu'il y a? demande Oli.

— Franchement? dit Hélène.

— Quoi?

— Je te trouve très dur avec celle qui a pris soin de toi pendant des mois, après le décès de ton père.

— C'était pas pareil.

— Ah non? En quoi c'était si différent?

— Tu peux pas comparer le fait de perdre son père et de perdre un bébé qui est même pas encore né.

— Je peux pas croire que tu manques de cœur à ce point-là. La souffrance, ça se mesure pas, Oli. Ingrid est en deuil.

— Je sais ben, mais si tu vivais avec elle...

— C'est à ton tour de prendre soin d'elle, comme elle l'a fait pour toi. Prends-la avec l'humeur qu'elle a, le temps qu'elle se remette. Lâche ton nombril un peu!

— T'es ben bête, donc! Moi qui voulais juste...

Hélène le coupe.

— Te plaindre ? T'as frappé à la mauvaise porte.

Olivier ne répond pas. Il se lève.

— Bon, ben je vais y aller, moi.

— Médite là-dessus.

— Ouain.

Olivier part. Il est contrarié par la réaction de sa mère mais, dans le fond, il sait qu'elle a raison. Il l'aime profondément, son Ingrid. Il se doit d'être un meilleur mari, se dit-il, plus patient et plus compatissant.

Olivier quitte le condo avec le dernier chat dans sa veste pour ne plus qu'Ingrid le voie. Le petit chat est le plus calme du groupe et ne bouge presque pas durant tout le chemin menant au bureau. Un client doit venir le chercher le lendemain.

Olivier a beaucoup réfléchi depuis la conversation avec sa mère et a pris la résolution d'être plus à l'écoute de la peine de sa femme que de ses propres états d'âme. Pas facile. Il doit avouer qu'elles ont raison de dire qu'il a un côté plaignard. Il déteste penser ça et il est décidé à faire des efforts pour changer. Même s'il a des rechutes à l'occasion, il tient bon. Et il remarque que ce changement de sa part a un effet très positif sur Ingrid. Il y a moins de prises de bec et le climat est plus détendu.

Chez DuoBuzzz, un message l'attend sur le répondeur : le client a changé d'idée, il ne prendra pas le chaton. Pas question de le ramener à la maison. Olivier va acheter quelques boîtes de nourriture et une litière jetable. Le chaton s'installera au bureau le temps qu'Olivier trouve un autre preneur.

Hélène est concentrée sur un dossier quand Christine se pointe dans son bureau en refermant la porte derrière elle.

— Je veux pas être dérangée, Christine...

— Je sais, je sais, mais il y a une jeune fille à la réception qui demande à vous voir.

— Hein ? Qui ça ?

— Léa Delisle. La fille de Gabriel Delisle.

— Mais qu'est-ce qu'elle fait ici ?

— Je sais pas, elle veut pas me le dire. Elle veut vous parler à vous.

— Bon, fais-la entrer, dit Hélène en soupirant, contrariée.

Pendant que Christine va chercher Léa, Hélène se force à dissimuler son agacement. La jeune fille entre dans la pièce. Elle ressemble beaucoup à son père, Hélène en est un instant troublée. Elle a les mêmes yeux verts, le même sourire aussi. De sa mère, elle a hérité de la maigreur et des cheveux très droits, fins et blonds. Hélène s'approche pour l'accueillir.

— Bonjour, Léa.

— Bonjour, Hélène. Je peux vous appeler Hélène, hein ?

— Oui, oui, répond Hélène un peu prise au dépourvu. Est-ce que ton père sait que tu es ici ?

— Non, ce qui est arrivé, c'est que...

Hélène invite Léa à s'asseoir et la jeune fille raconte sa mésaventure. Elle avait une visite à Mégantic avec l'école ce midi et elle a raté l'autobus. Elle croyait que le départ était à 12 h, mais c'était à 11 h 30. Elle a avisé la directrice qu'elle retournait chez elle et a tenté de rejoindre son père. En vain : il a une importante réunion cet après-midi. Et il habite trop loin de l'école pour y retourner à pied.

— Veux-tu qu'on essaie de joindre ta mère ?

— Non, j'ai pas le droit. Quand c'est la semaine chez mon père, faut pas que je dérange ma mère. Et vice-versa.

— Pis t'as décidé de venir ici ?

— Votre bureau est à cinq minutes de mon école. Pis je sais que vous êtes amie avec mon père. Est-ce que je peux vous demander un verre d'eau ?

Hélène actionne l'interphone et demande à Christine d'apporter un verre d'eau. En attendant, elle se demande ce qu'elle va faire d'elle. Mais Léa prend l'initiative.

— Puisque je suis ici, j'aimerais faire une interview avec vous pour un travail scolaire.

— Ah bon?

— Faut que je fasse une recherche sur une femme de carrière. Je trouve que vous êtes en plein ça! Pis comme on va peut-être… tsé, plus se fréquenter bientôt, ben…

Hélène a la désagréable sensation de se faire manipuler.

— Je t'arrête tout de suite, Léa. Je suis l'avocate de ton père, c'est tout. Et je préférerais que tu fasses ton travail sur quelqu'un d'autre.

L'ombre de dépit qui passe dans le regard de Léa n'échappe pas à Hélène.

— Pourquoi? demande Léa, je suis ici, on pourrait faire ça tout de suite.

— Oh, mon Dieu, non. Je n'ai pas du tout le temps en ce moment.

— Ça serait vraiment pas long.

— Désolée, Léa, non, c'est impossible. Mais je vais demander à Christine de te prendre un rendez-vous avec une collègue, si tu veux. D'accord? Je connais quelqu'un de très bien et je suis certaine que ça lui ferait plaisir de participer à ton travail scolaire.

Léa a le visage fermé, maintenant. *Une de ces enfants qui ne se font pas souvent dire non*, pense Hélène.

— Non, c'est correct. Je vais m'organiser toute seule. C'était vous que je voulais. Je comprends pas pourquoi vous refusez, c'est rien de compliqué ou de…

— Je préfère pas, la coupe une fois de plus Hélène, gentiment mais fermement.

— Bon, OK. Tant pis.

Léa se lève et se dirige vers la porte.

— Tu vas où comme ça?

— Je vais aller au MacIntosh en attendant que mon père me rappelle. Les proprios, c'est ses amis. Bye, là. Merci pour le verre d'eau.

Hélène regarde Léa qui part sans se retourner, visiblement frustrée du refus d'Hélène. D'emblée, Léa ne lui plaît pas, mais elle refuse d'y penser. Comment pourrait-elle ne pas aimer la fille de Gabriel ?

Ingrid et Olivier sortent de chez le notaire. Le vendeur est arrivé avec trente minutes de retard. Cela a mis Olivier en retard pour sa rencontre avec Geoffroy à la petite maison bleue. Les deux jeunes hommes ont en effet convenu de se voir pour s'entendre rapidement sur la liste détaillée des travaux à réaliser. Olivier n'a plus le temps d'aller reconduire Ingrid, elle vient donc avec lui, un peu à contrecœur.

— J'ai pas le goût d'aller là.

— Je suis déjà en retard. On en a pour quinze, vingt minutes max. Tu resteras dans l'auto, si tu veux.

Quand l'auto s'arrête devant la maison, Ingrid a un pincement au cœur. La dernière fois qu'elle est venue ici, elle croyait dur comme fer à leur bonheur familial. *Arrête ça, Ingrid,* se semonce-t-elle. *Tourne la page. Plus vite tu vas mettre ça derrière toi, mieux ce sera.*

Geoffroy est déjà là, le nez dans une des fenêtres.

— Tu m'attends ? demande Olivier à Ingrid.

— Je vais au moins aller saluer Geoffroy.

Ils sortent du véhicule. Au moment où Ingrid s'engage dans l'entrée, Alicia, qui était allée voir l'arrière de la maison, arrive sur le côté. Immédiatement, Ingrid voit le ventre arrondi d'Alicia sous son manteau d'hiver. Bien sûr qu'elle était au courant de la grossesse, mais de la voir devant elle, resplendissante future maman, lui broie le cœur. Elle retient difficilement les larmes qui lui montent aux yeux. Tout le monde se salue. Olivier a tout de suite perçu l'angoisse de sa femme.

— Allô, Alicia. Je savais pas que tu serais là.

— Elle avait seulement vu des photos. Je trouvais qu'il fallait qu'elle voie par elle-même, répond Geoffroy.

— Est-ce que ça pose problème? demande Alicia, inquiète.

— Non, non. Pas du tout, dit Ingrid en rassemblant son courage. Je vous laisse visiter, j'ai des appels à faire.

Ingrid retourne dans l'auto. Entre-temps, Alicia a compris le malaise d'Ingrid.

— Je suis désolée, Olivier, dit-elle en se touchant le ventre. Je me doute du choc que ça lui cause, après ce qui vous est arrivé. Mais Geoffroy m'avait dit que tu serais seul. Avoir su…

— Sens-toi pas mal, Alicia. Elle pourra pas éviter d'avoir des femmes enceintes sur son chemin. Je vais juste aller m'assurer qu'elle est OK. Dac?

Olivier va rejoindre Ingrid. Celle-ci est penchée sur son cellulaire.

— Es-tu correct, ma belle blonde?

— Un peu sous le choc, j'avoue.

— Elle pouvait pas savoir que tu serais là…

— C'est correct, Oli. Va faire tes affaires.

— Certaine?

— Oui, oui.

Olivier la regarde attentivement, se penche pour l'embrasser.

— Je me dépêche.

Ingrid les regarde entrer dans la maison et ne peut retenir ses larmes. C'est tellement injuste de voir Alicia s'apprêter à vivre la vie qu'elle aurait dû avoir. *La vie est tellement injuste. Je suis punie de quoi exactement?*

❧

Christine entre dans le bureau d'Hélène, les yeux rouges mais l'air déterminé.

— Je peux vous parler? demande-t-elle en s'assoyant sans attendre de réponse.

— Euh… oui.

Christine dépose une enveloppe sur la table de travail devant Hélène.

— C'est ma lettre de démission.

— Quoi?! dit Hélène avec une pointe de panique.

— C'est plus possible pour moi de rester ici.

— Ben voyons, Christine. Dis-moi que c'est pas à cause de Hugo.

— Ben oui, effectivement.

— Je lui ai parlé très sérieusement, il devait faire attention…

— Il a compris. Son attitude a changé. Pour le mieux.

— Mais alors? T'as pas de raison de partir.

— Oui. Parce que je peux pas être autour de lui.

— Pourquoi? demande Hélène, démontée.

— Parce que c'est devenu trop difficile pour moi de me concentrer, de… vous comprenez ce que je veux dire.

— Pas du tout, répond Hélène interloquée.

Christine baisse le regard et tripote ses ongles.

— C'est tellement pathétique, dit-elle dans un souffle.

— Christine, je te suis pas du tout. Sans blague. Pourrais-tu être plus claire pour que je puisse comprendre?

— Je pense que… non, je pense pas, je suis sûre que j'ai des sentiments pour Hugo.

Hélène reste sans voix un moment.

— T'es amoureuse de lui?

— Je pense que oui.

— Et lui?

— Il sait pas ça! Il faut pas qu'il sache non plus! Il rirait de moi. Avec raison. J'ai vingt ans de plus que lui. C'est ridicule mon affaire, je le sais. C'est juste que c'est hors de mon contrôle.

— Ah, mon Dieu, ne peut que dire Hélène.

— Je sais, je sais. Pensez pas que j'ai pas essayé de me raisonner. Rien à faire. Quand il est là, je perds complètement mes moyens. Je peux plus vivre comme ça.

Hélène réfléchit un moment. Puis elle prend la lettre et la redonne à Christine.

— J'accepte pas ta démission, Christine.

— Oui, mais…

— Pas aujourd'hui, en tout cas. Laisse-moi réfléchir à tout ça, d'accord?

— Combien de temps?

— Je sais pas. Mais je te promets que je vais trouver une solution. Pas question que je te perde.

— Je veux bien attendre, mais on va se retrouver devant la même situation. Il n'y a pas d'issue. J'y ai pensé des heures et des heures.

— Quand même. Donne-moi juste un peu de temps. OK?

— D'accord.

Christine sort. Hélène soupire, dépassée. Comment pourra-t-elle dénouer cette affaire? Elle n'en a aucune idée.

Juché sur une tablette de la bibliothèque dans les bureaux de DuoBuzzz, le chaton regarde vers le haut et sait que, bientôt, il sera assez grand, fort et agile pour atteindre la dernière tablette, tout en haut. Il en frissonne de plaisir anticipé. Ça fait plusieurs semaines qu'il est installé à demeure dans le bureau et tout porte à croire qu'il y restera. Plus personne ne parle de le faire adopter. On l'appelle même Buzzz-le-chat. C'est bon signe, ça, non? Quand on reçoit un nom, un vrai nom, ça veut dire que c'est du solide, pas vrai? Il voit Olivier entrer dans le bureau, la mine un peu sombre. *Allons nous faire flatter, ça lui fera du bien.*

Buzzz-le-chat s'étire, saute sur le sol et trottine vers Oli. Il escalade le pantalon d'Olivier. Ce dernier sourit, le prend et lui gratouille le ventre. Buzzz-le-chat ronronne de satisfaction: mission accomplie.

CHAPITRE 7

Après d'âpres négociations qui auront duré encore plusieurs semaines avec maître Veilleux, le troisième et dernier point de litige entre Gabriel et Martine est enfin résolu. Hélène ne se souvient plus trop qui d'elle ou de Gabriel a eu l'idée qui a enfin séduit Martine. Ils faisaient une balade à cheval quand ils ont vu l'installation d'une mini-maison sur un terrain boisé pas très loin du sentier. Gabriel a dit que Martine avait beaucoup insisté, il y a quelques années, pour qu'ils en aient une près du fleuve, à Kamouraska, mais qu'il n'était pas d'accord à cause de la distance et que le projet était donc tombé à l'eau. C'est à partir de ce moment-là que l'idée de proposer une maisonnette à Martine avait commencé à faire son chemin. Gabriel avait trouvé un terrain à Saint-Denis de Kamouraska et Hélène avait proposé à maître Veilleux l'installation d'une mini-maison sur ce terrain, en contrepartie de quoi Martine laissait tomber ses vues sur Massawippi.

Et voilà que, avec l'arrivée du printemps, le divorce voit enfin sa conclusion. Après sa conversation avec maître Veilleux, Hélène compose le numéro de Gabriel. Elle entend hennir en arrière-plan, ce qui lui fait comprendre qu'il est dans l'écurie de Tarpan. Il est en plein travail, mais toujours ravi de lui parler.

— Si tu voyais le cheval qu'on vient d'acheter. Il est magnifique. Je vais t'envoyer une photo. Je suis ben énervé.

— Veux-tu l'être encore plus?

— Elle a accepté ma dernière offre?

— Oui. On va signer les papiers dans une semaine.

— Wow! Je suis tellement heureux!

— Moi aussi.

— On va fêter ça!

— Après la signature.

— Oui, t'as raison.

Il y a un silence au bout de la ligne.

— Tu sais ce que ça veut dire?

Ça veut dire qu'ils pourront enfin vivre leur histoire sans retenue. Juste d'y penser, Hélène frissonne.

— Oui, répond-elle dans un souffle.

— Je t'aime.

— Moi aussi, murmure-t-elle.

🌿

Quand Olivier revient au condo ce soir-là, Ingrid l'attend devant son ordi. Elle veut partir en voyage.

— En voyage? Maintenant? demande Olivier un peu décontenancé.

— Ben oui, pourquoi pas? Regarde. J'ai eu plein d'idées: la Grèce, le Portugal, la Croatie, la Suède. Mais, finalement, je pense qu'on devrait aller en Islande. Viens voir. C'est fabuleux. Les geysers, les fjords…

Olivier se penche vers l'ordi et regarde défiler les paysages sans trop réagir. Ingrid le regarde.

— Je peux pas croire que ça te tente pas.

— Oui, mais plus tard peut-être?

— Pourquoi?

— Pour plein de bonnes raisons.

— Comme?

— On a dépensé pas mal avec la petite maison bleue dernièrement.

— Bof. Ça me dérange pas de mettre une partie du voyage sur ma carte de crédit.

— Mais surtout, j'ai été beaucoup absent du bureau l'an dernier. Je me vois pas annoncer à Théo que je pars en vacances.

— Ouain, concède Ingrid.

— Faisons des plans pour l'année prochaine.

— C'est loin, rétorque Ingrid.

— On va se faire du fun à préparer notre voyage. Tu vas voir.

— Ouain… peut-être, répond Ingrid, visiblement pas convaincue.

— Tu te souviens, mon père disait: «Anticiper le bonheur, ça rend aussi heureux.» On va anticiper notre voyage, il va durer plus longtemps.

Ingrid accepte de reporter le projet. Olivier est soulagé d'avoir réglé cela aussi facilement.

— Bon, montre-moi donc ça, ces geysers-là!

Olivier et Geoffroy ont travaillé chaque week-end depuis l'achat de la petite maison bleue. Le plancher de la cuisine a été refait. Ils ont ajouté un îlot, ils ont renippé la salle de bains, vidé le sous-sol de tout le bric-à-brac laissé par le vendeur et ils ont repeint partout. Sans les couleurs criardes, les cadres de porte brun foncé, la maison est maintenant lumineuse et accueillante. Olivier a tout de même eu un petit pincement au cœur en voyant ce qui aurait pu être sa maison. Mais il se secoue, pas question de sombrer dans les regrets et l'amertume. Il est content pour son ami: Geoffroy a l'air si heureux.

Aujourd'hui, c'est jour de déménagement. Théo, Olivier et Régis, le frère de Réjanne, se sont donné rendez-vous chez Geof et

Alicia à 7 h. Régis est tout content de venir en aide à son neveu Geoffroy, avec qui il a habité un moment il y a quelques années. Ça fait longtemps que les gars n'ont pas été tous ensemble comme dans le temps. Ils sont heureux de se retrouver : meubles et boîtes entrent dans le camion à un rythme soutenu. À 9 h 30, le condo est vide et les hommes se dirigent vers la maison. Comme Alicia est près d'accoucher, Suzie et Katia, la bande de Régis, ont choisi de venir plus tard pour aider à tout placer dans la nouvelle maison. Quant à Sacha, la sœur de Geoffroy, elle amènera Alicia au spa. En chemin, Geoffroy reçoit un appel.

— Geof, c'est Sacha. Je pense que tu pourras pas finir ton déménagement.

— Pourquoi ? demande Geoffroy, perplexe.

— Alicia vient de perdre ses eaux. Je vais l'emmener à l'hôpital plutôt qu'au spa.

— OK, je m'en viens !

Olivier lui offre de prendre le volant, mais Geoffroy s'entête. Il ne veut pas perdre de temps en changeant de chauffeur. En disant cela, il brûle un feu rouge et convient finalement que c'est plus prudent de laisser son ami conduire. C'est un Geoffroy exalté qui entre en courant dans l'hôpital pour rejoindre sa blonde. Il trébuche à cause du tapis devant la réception. Un peu plus et il s'étendait de tout son long devant le commis à qui il demande, en bafouillant, le numéro de la chambre de sa douce.

Quand la gang quitte la petite maison bleue en fin d'après-midi, tout est prêt à recevoir les nouveaux parents et leur bébé : les meubles sont placés, la vaisselle est dans les armoires, les lits sont faits. Suzie est même allée cueillir des fleurs dans le champ d'à côté et le bouquet trône sur l'îlot de la cuisine. À part Régis et Katia qui ont dû se rendre à un rendez-vous, tout le monde se retrouve au MacIntosh pour une bière et un bon repas, en attente de nouvelles fraîches provenant de l'hôpital. À 20 h, Geoffroy appelle : Alicia a accouché il y a une heure de Romy, une belle petite fille de sept livres en pleine santé. À distance, il offre une tournée à ses déménageurs !

La salle de conférences de maître Veilleux est toute vitrée et Hélène peut voir, en s'approchant, le visage fermé, voire hostile, de Martine Beauregard quand elle l'aperçoit à son tour. Gabriel sort de l'ascenseur à l'instant où Hélène entre dans la salle. Ils sont réunis pour signer l'entente de divorce. Hélène a pris connaissance des documents la veille et tout est conforme.

On entendrait une mouche voler dans la grande salle. Martine regarde partout sauf en direction de Gabriel et d'Hélène. Maître Veilleux passe en revue les points saillants de l'entente. Martine et Gabriel signent enfin les documents.

Le divorce sera effectif au moment où le juge entérinera l'entente.

— Tu vas être soulagé, ne peut s'empêcher de lancer Martine.

— Je suis content que ce soit fini, oui. Ça fait deux ans qu'on essaie de s'entendre.

— Pis tu vas pouvoir t'afficher avec elle. Tu dois être ben heureux de ça aussi, ajoute Martine, amère.

Maître Veilleux pose une main apaisante sur le bras de Martine comme pour l'empêcher d'aller plus loin dans cette direction. Hélène est soufflée de cette remarque.

— Il n'y a pas de relation entre M. Delisle et moi ! Me Veilleux, j'apprécierais que votre cliente se dispense de…

— Bien sûr, assure l'avocate en se tournant vers Martine.

Gabriel poursuit, très calme et ferme.

— Laisse maître Bouchard en dehors de ça, veux-tu ? Non seulement il n'y a rien entre nous, mais de toute façon, Martine, ce que je fais de ma vie maintenant ne te regarde plus.

Hélène est impressionnée par son aplomb et sa classe. Gabriel la regarde et ils se lèvent en même temps. Ils se saluent tous froidement. Gabriel et Hélène sortent. À peine la porte de l'ascenseur est-elle refermée qu'Hélène soupire d'exaspération.

— Elle n'a pas lâché jusqu'à la dernière seconde.

— On s'en fout, rétorque Gabriel avec un grand sourire, si soulagé que tout cela soit derrière lui.

Il prend Hélène dans ses bras et lui donne un baiser tendre, puis fougueux, joyeux! Ils se regardent et éclatent de rire. Enfin, ils sont libres.

Ingrid sent le besoin irrépressible de changer de décor. Elle s'est acheté un cahier et a entrepris de ratisser Internet à la recherche d'idées déco. Elle imprime ce qui l'inspire et colle les photos dans son cahier. Elle est aussi allée chercher des échantillons de couleurs à la quincaillerie. Toutes les pièces du condo y passent: peinture, ajout de meubles, lampes. Rapidement, le cahier se remplit. Quand elle montre, toute fière, son travail à Olivier, celui-ci, une fois de plus, use de prudence.

— Wow, t'en as eu des idées, dit-il sans entrain.

— Aimes-tu ça? demande Ingrid, enthousiaste. J'ai hésité pour notre chambre, mais ce vert-là, finalement, ça va être super lumineux.

— Oui…

— Pis le salon? As-tu vu le divan que j'ai trouvé? Il est un peu cher, mais il est fabuleux. Tu trouves pas?

— Oui, oui, c'est juste que…

— Quoi?

Olivier doit de nouveau expliquer à sa femme que leurs finances ne leur permettent pas, en ce moment, de se lancer dans des changements aussi radicaux. Ingrid en perd son élan.

— Tu veux pas?

— Oui, non… oui, mais peut-être pas tout en même temps.

— Ouain…

— Tu pourrais faire une pièce à la fois. Pis peut-être attendre un peu avant d'acheter des meubles.

— Combien de temps ?

— Le temps de se replacer financièrement. On a quelques gros contrats qui s'en viennent au bureau. Quelques mois de patience, max.

Ingrid convient que de partir le chantier dans la totalité du condo est peut-être exagéré. Elle va réfléchir à la pièce qu'elle veut faire en premier, celle qui coûtera le moins cher aussi. Olivier retient un soupir de soulagement.

Depuis la signature de l'entente de divorce, Gabriel est transformé. Cette page tournée a effectivement enlevé un poids sur ses épaules. Le nuage gris qui flottait en permanence au-dessus de sa tête est parti. Hélène apprend à connaître un Gabriel plus léger, plus rieur et ça lui plaît beaucoup. Il veut donner le coup d'envoi à sa nouvelle vie.

— Je veux te présenter officiellement ma fille, lui dit-il un midi qu'ils lunchent ensemble.

— Bientôt, répond Hélène, qui choisit de ne pas évoquer la visite de Léa à son cabinet, il y a quelques mois.

— Ça te dirait de partir une semaine au soleil ? propose-t-il sans transition.

— Si tu savais comme c'est pas le moment à mon bureau.

— OK. On fait quelque chose, n'importe quoi. Faut fêter ça !

Gabriel a des idées extravagantes. Hélène est plus terre à terre. On s'entend sur une activité plus modeste : un week-end à Montréal. Gabriel s'occupe de tout.

— Ça va être mémorable ! promet Gabriel.

— On dirait que j'ai aucun doute, répond Hélène en souriant.

Hélène se dit qu'elle doit bien commencer quelque part pour régler le « cas Christine-Hugo ». Elle demande à Hugo de venir dans son bureau.

— J'ai un gros dilemme et j'ai besoin que tu m'aides à trouver une solution.

— OK, je t'écoute, répond Hugo.

— Ce que je vais te dire doit absolument rester entre nous.

— Je suis soumis au secret professionnel, moi aussi, tu sais, dit Hugo moqueur.

— C'est personnel, rétorque Hélène.

— C'est ben la première fois depuis qu'on est associés que tu vas te confier sur ta vie privée.

— C'est de ta vie qu'il s'agit.

— Ma vie? Impossible! J'ai pas de vie, justement. Je suis le gars le plus plate en ville. Je travaille, je travaille, pis je travaille. Pas encore d'amis ici, à Granby, pas de blonde. Le néant.

Hélène plonge. Autant crever l'abcès sans attendre davantage.

— Christine est amoureuse de toi.

Hugo accuse le coup. Après un moment, il répond, sonné.

— Sans blague?

— C'est très sérieux…

— Hé ben…

— Au moins, tu ris pas.

— C'est pas drôle.

— Je suis contente que tu le prennes comme ça.

— Voyons, Hélène, pour qui tu me prends?! Tu m'annonces qu'une femme est en amour avec moi. Pourquoi je rirais? C'est flatteur. Pis touchant aussi.

— Désolée, c'est seulement le fait qu'elle soit tellement plus âgée, qu'elle soit notre adjointe…

— Ça change rien.

Les deux restent un moment silencieux.

— Le hic, c'est qu'elle veut donner sa démission, ajoute Hélène.

— Hein ? Pourquoi ?

— Elle est pas capable de rester en ta présence. Elle est trop retournée.

— J'en reviens pas, laisse tomber Hugo.

— Moi non plus. Alors qu'est ce qu'on fait ?

— Laisse-moi un peu de temps pour réfléchir, d'accord ?

Hugo sort du bureau d'Hélène, plongé dans ses pensées.

Olivier a décidé de venir luncher à la maison. Il trouve Ingrid en grande conversation téléphonique avec son amie Marie-Pier.

— Faut que je te laisse, Olivier vient d'arriver… Marie, je suis certaine que tu te trompes pour Brian… Oui, on se reparle bientôt.

Olivier la regarde, intrigué.

— Marie pense que mon frère a recommencé à prendre de la dope.

— Ah non…

— Ouain. Je pense qu'elle se fait des peurs… Je vais voir ce que je vais faire avec ça. En attendant, j'ai tellement eu un bon flash ce matin !

— Ah oui ?

— On devrait adopter un chien.

— Hein ? réagit Olivier, débiné.

— Ben quoi ? Ça serait le fun. T'adores les chiens. Tu dis tout le temps que t'as toujours rêvé d'en avoir un.

— Oui, mais…

— T'en fais pas, on oublie les idées de décoration pour le moment. On dépensera pas pour ça.

Olivier ne sait plus trop quoi penser ni comment réagir. Sa femme part sur une nouvelle lubie toutes les semaines.

— Tu voulais même pas garder un chaton.

— C'est pas pareil.

— C'est ben pire. C'est pas évident d'élever un chien.

— On pourrait aller dans un refuge, le prendre adulte, pis faire une bonne action en même temps.

— Ingrid…

— Quoi?

Comment lui expliquer sans avoir l'air condescendant ou fermé?

— On veut pas partir en voyage, nous autres?

— Ben oui. Rapport?

— Quand on a un chien, on est plus aussi mobile, tsé.

— Je suis certaine que mes parents accepteraient de le garder.

— Laisse-moi y penser, OK?

— OK. Je vais faire des recherches dans les refuges de la région.

— Fais rien sans qu'on s'en reparle, là, avertit Olivier.

— Non, non.

— Pour l'instant, je suis pas d'accord.

— OK, OK.

Gabriel a organisé leur week-end dans tous les détails. Ils sont partis de Granby le matin et sont allés faire une randonnée sur le mont Royal. Puis ils se sont arrêtés au belvédère, se sont promenés main dans la main dans les rues de Westmount en regardant les résidences opulentes.

— Celle-ci, on l'achète! propose Gabriel à la blague.

— Non, j'aime pas la porte. Trop verte.

— Oh, celle-là alors. Regarde, elle a l'air petite de la rue, mais quand on regarde vers l'arrière elle est gigantesque!

— OK, faisons une offre! dit Hélène, jouant le jeu.

Ils ont dîné boulevard Saint-Laurent, passé l'après-midi au Musée des beaux-arts, se sont arrêtés à l'hôtel pour déposer leurs sacs et se rafraîchir. Les voilà assis au restaurant Accords de la rue Notre-Dame. Le repas est exquis, la conversation soutenue. Ils en apprennent encore davantage l'un sur l'autre.

— Est-ce que je t'ai dit que je suis partie en Westfalia pour faire le tour du Canada, l'été de mes dix-neuf ans? demande Hélène.

— Non!

— Oui! Avec mon chum de l'époque. Trois mois à dormir, à manger et à rouler dans cette camionnette-là. On avait tellement pas d'argent. On se douchait un jour sur trois. Ouache, quand j'y repense. Une chance qu'on était fusionnels.

Gabriel grimace.

— C'est quand même le plus beau souvenir du début de ma vie adulte, ajoute Hélène avec une pointe de nostalgie.

Un ange passe.

— J'ai pas vraiment voyagé quand j'étais jeune. L'été, mon père nous envoyait travailler sur une ferme. «Vous êtes trop gâtés, faut que vous sachiez c'est quoi le vrai travail physique.» On travaillait comme des forçats. Debout à 5 h, couchés à 8 h.

— Pauvre toi, le plaint Hélène.

— Sur le coup, j'ai haï mon père, mais aujourd'hui je suis obligé de dire, moi aussi, que ça fait partie de mes beaux souvenirs d'adolescence. D'autant plus que c'est là que j'ai fait l'amour pour la première fois.

— Dans le foin comme dans les films.

— Dans le foin, mais pas pantoute comme dans les films. J'étais un peu pressé, mettons.

Ils rigolent.

— Je te rassure tout de suite. J'ai beaucoup changé depuis ce temps-là.

Ils rient, mais le fait d'aborder ce sujet ajoute une tension au repas. Ils anticipent cette «première nuit» depuis si longtemps.

En marchant vers leur hôtel, ils s'arrêtent dans un parc où un trio à cordes donne un concert. Ils s'assoient sur un banc et restent là, blottis l'un contre l'autre, silencieux et sereins, à écouter la musique classique.

Il est presque minuit quand ils reviennent à leur chambre. Hélène, qui s'est levée très tôt ce matin-là pour terminer un travail avant de partir, est vannée. Gabriel la prend dans ses bras et l'embrasse tendrement.

— Fatiguée, hein ?

— Brûlée.

— Collons-nous et dormons. On a toute la vie devant nous.

Hélène acquiesce, vraiment touchée par ce geste de respect. Mais, une fois qu'ils sont couchés l'un contre l'autre, leurs bonnes résolutions ne tiennent pas longtemps. C'est Hélène qui n'en peut plus. Elle se tourne vers Gabriel, toute sa fatigue envolée. Ils font l'amour avec toute la passion accumulée depuis des mois. Et c'est magique.

Ingrid annonce à Olivier qu'elle a laissé tomber l'idée du chien.

— J'y ai repensé et c'est trop contraignant. T'as raison.

Olivier est soulagé. Depuis la conversation, il a toujours peur d'arriver à la maison un soir et de constater qu'Ingrid a fait fi de son refus et est allée dans un refuge chercher un chien ou, pire encore, un chiot qu'il aurait fallu élever.

Mais elle a eu une autre idée. Sans même s'en rendre compte, Olivier se raidit. Quoi encore ?!

— J'ai repensé à l'idée du voyage…

— Oui, mais on a décidé que… la coupe Olivier.

— Attends, attends ! intervient Ingrid. C'est un autre genre de voyage.

— Qu'est-ce que tu veux dire ?

Ingrid lui sourit, ménageant son effet.

— On pourrait aller vivre ailleurs, genre à San Francisco ou en Europe. En Croatie ou en Italie. Mais pas deux semaines. Six mois ou un an.

— Tu me niaises ?

— Ben non.

— Pis on fait quoi avec nos jobs ?

— Ben je reprendrai où j'ai laissé.

— Pis moi, je vends à Suzie. Pis quand je reviens, j'ai rien devant moi, rétorque Olivier, la moutarde lui montant au nez.

— J'ai pas trop réfléchi à ça… répond Ingrid, déstabilisée.

Olivier soupire, exaspéré.

— Ingrid, je suis un peu tanné, là.

— De quoi ?

— De devoir dire non à toutes tes lubies.

— Lubies ?

— Ben tes idées farfelues, si t'aimes mieux.

Ingrid reste silencieuse un instant et baisse la tête.

— J'ai besoin de changement.

— Pourquoi ?

— Pour arrêter de penser à mon échec.

Olivier accuse le coup.

— Tu vois tes fausses couches de même ?

— Il y a pas d'autres façons de prendre ça.

— Ben voyons. Tu te trouves poche, ça fait que tu cherches des manières de t'étourdir ? demande Oli, agacé.

— On pourrait dire ça comme ça. Je suis juste plus capable d'être triste à chaque minute de ma vie et de me trouver nulle.

Olivier s'adoucit aussitôt. Il regarde sa belle blonde avec tendresse, va vers elle et la prend dans ses bras.

— Pas certain que ça soit le meilleur moyen.

— Peut-être, mais si je fais pas ça, je vais capoter. J'ai peur de jamais me sortir de cette peine-là, Oli.

— Je vais t'aider à trouver une manière. Mais on partira pas six mois en Croatie.

Ingrid lui sourit faiblement.

— Je le sais ben que je suis pas facile à suivre.

— Un petit voyage, une redéco totale, un chien, un grand voyage. Ouain, on peut dire que c'est pas évident, dit Olivier avec douceur.

— Je sais.

— Ça fait des mois que t'es là-dedans. Tu devrais peut-être aller voir un psy pour passer à travers, tu penses pas ?

— Ça aussi, ça coûte cher.

— C'est pas pareil. Pour que tu ailles vraiment mieux, on va toujours trouver de l'argent.

— Je vais y penser, d'accord? répond Ingrid.

— Dac.

— Juste de t'en avoir parlé maintenant, ça me fait un bien énorme.

— Tant mieux. Je vais prendre soin de toi, tu vas voir.

— Je vais essayer d'être plus de bonne humeur...

— T'auras l'humeur que tu peux, Ingrid. Je veux pas que tu te forces à rien. Faut que tu vives les affaires pour pouvoir t'en sortir.

— Ohhh, Oli... T'es tellement incroyable, dit Ingrid en se blottissant dans ses bras.

Effectivement, le fait d'avoir parlé à son homme en toute franchise, de se sentir aussi bien comprise, commence à changer quelque chose en elle.

Ingrid repense à sa prise de bec avec sa mère lors de sa dernière visite chez ses parents. Elle se dit qu'elle devrait retourner la voir et réparer ça. Elles ne se sont pas disputées comme ça depuis l'adolescence d'Ingrid. Mais la vie suit son cours, les contrats entrent et Ingrid tarde à aller se réconcilier avec Julie. Bien plus tard, quand elle comprendra pourquoi Julie a été si impatiente, dure et intransigeante, Ingrid regrettera amèrement de ne pas être retournée voir sa mère plus tôt.

De retour de son escapade montréalaise avec Gabriel, Hélène dépose son bagage près de l'escalier et prend Suzanne dans ses bras. La petite chatte a encore de la nourriture dans son bol. Hélène est soulagée, Suzanne n'a pas eu l'air de trop souffrir de son absence. Hélène s'allonge sur le canapé du salon. La nuit a été courte. Pendant qu'elle caresse le chaton, elle repense à son week-end. Cette relation tient ses promesses. Quel bonheur de pouvoir vivre son amour au grand jour. Cela dit, elle sait qu'elle aura plus de retenue à Granby qu'à Montréal, où elle ne connaît personne. L'encre est encore fraîche sur l'entente de divorce et elle connaît quelques confrères qui ne se gêneront pas pour commenter. *Bof, qu'ils jasent, pas question de bouder mon bonheur. Pas vrai, Suzanne?* La petite boule de poil ronronne en signe d'assentiment. La seule ombre au tableau est apparue sur l'autoroute 10, au retour, quand Hélène a évoqué la visite de Léa à son bureau, quelques mois auparavant.

— Tu me niaises? Ma fille est allée te voir?

— Ben oui.

— T'as rien dit quand je t'ai proposé de te la présenter.

— Je sais. Je voulais pas qu'elle se fasse chicaner.

— Quand l'as-tu vue? demande Gabriel, visiblement mécontent.

— Je me rappelle plus trop, ça fait un petit bout...

— Hein? Comment ça se fait que tu me parles de ça juste maintenant?

— Elle avait raté son autobus pour une sortie scolaire, pis elle était incapable de te joindre.

— J'ai mon voyage, avait lancé Gabriel.

— Elle est restée une dizaine de minutes, pas plus.

Hélène avait raconté en détail la visite de Léa, et Gabriel était resté d'humeur sombre jusqu'au moment où il l'avait laissée devant la maison.

— Je suis désolée de pas t'en avoir parlé... avait répété Hélène.

— Je suis choqué contre ma fille, pas contre toi. Excuse-moi, OK?

— C'est correct.

Ils s'étaient finalement laissés sur un baiser langoureux. Elle sourit en y repensant. Bercée par le petit moteur félin de Suzanne, Hélène glisse doucement dans le sommeil. Ses dernières pensées sont pour Léa, qui va sans aucun doute passer un très mauvais quart d'heure.

En effet, quand Léa met les pieds chez son père ce soir-là, celui-ci l'attend de pied ferme. Il a ruminé depuis qu'il a laissé Hélène chez elle et il est passablement irrité. À peine est-elle entrée qu'il passe en mode attaque.

— En quel honneur es-tu allée au bureau d'Hélène malgré mon interdiction ?

— Ça fait mille ans de ça. Elle est allée bavasser.

— Juste que tu dises ça me prouve que tu savais que c'était pas correct.

— J'ai ben le droit de savoir avec qui tu vas être en couple.

— Oui, mais pas dans mon dos.

— C'était pas prémédité.

— Oh non ?

— Non, j'ai essayé de te rejoindre ce jour-là, pis…

— Pour une sortie scolaire ?

— Oui.

— Il n'y a jamais eu de sortie à Mégantic, j'ai vérifié. J'avais refusé que tu ailles la voir, pis t'as fait à ta tête. Pis tu mens en plus.

— Je trouve ça niaiseux que tu m'empêches de la rencontrer.

— Tu peux penser ce que tu veux, Léa, mais t'as pas le droit de désobéir ni de mentir comme tu viens de le faire.

Léa croise les bras et se ferme.

— Pas de sortie et pas d'amis cette semaine, annonce Gabriel.

— OK. Ça me dérange pas. Je file solitaire, ces temps-ci. Je vais aller lire dans ma chambre. J'ai mangé chez m'man avant de partir.

Gabriel regarde sa fille s'éloigner sans répliquer. Ça fait quelques fois qu'il la surprend à mentir ces derniers mois. Il n'apprécie pas du tout. Quand a-t-elle commencé ça ? Il a toujours tellement insisté sur la nécessité d'être franc en tout temps. Il devra être vigilant. L'adolescence n'améliorera pas les choses, il en a l'intuition.

CHAPITRE 8

Hélène sait qu'elle néglige ses amies, qu'elle ne voit plus aussi souvent Olivier et Ingrid, mais c'est plus fort qu'elle : ses moindres temps libres, elle veut les passer auprès de son amoureux. Et c'est pareil pour lui, il le lui a confié. Au fond d'elle-même, Hélène croyait que, une fois qu'ils seraient libérés de leur promesse de n'être qu'amis, sa relation avec Gabriel perdrait en intérêt. Elle pensait que le fait de tenir tout cela caché, de ne pas faire l'amour, faisait toute la différence et attisait leur attirance l'un pour l'autre. Elle se trompait. C'est même tout le contraire. Maintenant qu'ils ont tout le loisir de se voir, de sortir, de passer des week-ends ensemble, Gabriel devient de plus en plus important dans sa vie. *Cet homme fait l'amour divinement*, a-t-elle confié à Julie lors de leur dernière rencontre éclair dans les jardins du Collège Mont-Sacré-Cœur. Bien sûr, Martine ne facilite rien quand il s'agit de changer des horaires et tout ce qui concerne Léa est un peu compliqué, mais ils arrivent toujours à s'organiser.

La rencontre officielle entre Hélène et Léa, les deux femmes de sa vie, comme dit Gabriel, aura lieu la prochaine fois que Léa passera la semaine avec lui. Hélène anticipe avec un brin d'inquiétude ce moment. Elle souhaite ardemment que son premier *feeling* mitigé ait été provoqué par la visite surprise de Léa au bureau et que, dans des conditions normales, elle pourra apprendre à l'apprécier.

Hélène a décidé de manger dans son bureau ce midi, un reste du repas que Gabriel lui a concocté hier soir. Ils vont aussi souvent chez lui que chez elle, maintenant. Elle aime bien sa maison à la fois masculine, confortable, quoiqu'un peu spartiate. Chez lui, pas de déco ou d'accessoires tendance, mais il ne manque de rien. Dans son salon, un immense canapé moderne gris anthracite côtoie un vieux fauteuil inclinable beigeâtre dont Gabriel ne veut absolument pas se défaire malgré sa beauté toute relative. Ce vieux meuble défraîchi est son lien avec le jeune Gabriel qu'il a été et il est hors de question qu'il s'en débarrasse. Point barre. Il reconnaît lui-même que c'est déraisonnable, mais il s'en fout. Sur le canapé, quelques coussins jaunes achetés par Léa, représentant des émoticônes. Un sourire, un clin d'œil et un troisième avec des lunettes de soleil. Seules taches de couleur dans ce salon monochrome, elles s'harmonisent plutôt bien dans le décor. La cuisine est petite, mais fonctionnelle. Il n'y a de place que pour une seule personne aux fourneaux et c'est très bien comme ça. Hélène préfère nettement s'asseoir au comptoir et regarder Gabriel s'affairer. Parfois, elle coupe des légumes, mais c'est toujours tellement long que Gabriel doit finir la tâche lui-même.

Elle engouffre les dernières bouchées de son lunch pour retourner à sa table de travail. Ils ont prévu aller au vernissage d'un ami de Gabriel à Magog, ce soir. Elle veut finir tôt pour pouvoir aller se changer avant d'y aller. Elle portera la robe trapèze de couleur «petite cuisse de nymphe» – oh, que Gabriel avait ri quand il avait entendu le nom de cette couleur – un rose très pâle qui lui va à ravir. Elle qui n'avait pas acheté de vêtements depuis une éternité – la maladie et le décès d'Étienne avaient coupé ses envies de *shopping* –, elle avait fait une razzia monstre à Montréal. Gabriel l'avait accompagnée patiemment tout un après-midi, attendant à la porte des boutiques et transportant ses sacs. Parfois, elle se plantait dans la porte du magasin pour lui montrer une robe ou un ensemble et avoir son avis. Il était toujours enthousiaste. Hélène l'avait accusé d'être affreusement biaisé et de tout aimer seulement parce qu'elle le portait. Il avait souri sans nier. Ce qu'elle voit dans ses yeux, chaque fois qu'il pose le regard sur elle, lui donne des ailes.

Léa attend Arnaud près de sa case. Elle fronde, mais elle est un peu intimidée d'être dans la section du cinquième secondaire. Elle se sent regardée et jugée par tous ces seize, dix-sept ans. Arnaud apparaît enfin au fond du couloir. Il est en grande conversation avec un ami. Léa lui fait signe, mais il ne la voit pas. Elle se sent idiote et rougit. S'ils se voient librement à l'école, c'est différent à l'extérieur. Après l'intervention de son père auprès de sa mère, tout a changé. Martine est allée voir la mère d'Arnaud et elles ont convenu toutes les deux que Léa et Arnaud devaient stopper leur relation. Léa avait rué dans les brancards, mais Arnaud avait accepté cette interdiction sans rechigner. Malgré les efforts de Léa pour le voir et lui parler, il l'avait évitée pendant presque une semaine. Puis un soir, après l'école, il était venu la rejoindre sur le chemin menant à leur rue.

— Bon, je pense que nos mères sont rassurées, maintenant. En tout cas, la mienne est certaine que c'est fini, nous deux.

— C'est fini, nous deux! avait rétorqué Léa, trop émotive à son propre goût. Tu m'évites depuis une semaine. T'as répondu à aucun de mes textos.

— C'était une tactique. Pour pouvoir continuer.

— Ah oui? avait répondu Léa, surprise et flattée.

— Pas question qu'on les laisse nous séparer. Je tiens trop à toi, Léalou.

Léa a fondu. Ils sont allés au parc, ont fumé un joint et se sont longuement embrassés. Arnaud embrasse trop bien. Il lui a montré à le faire avec la langue et elle aime ça. Cette fois-là, elle a même accepté qu'il caresse ses seins. Elle lui devait bien ça pour avoir trouvé un moyen sûr de calmer leurs parents.

Du fond du corridor, Arnaud la voit enfin et lui sourit en se dirigeant vers elle. Léa sent revenir toute sa confiance en elle.

Hélène a quitté le bureau depuis un moment déjà. Christine est restée plus tard pour finir les comptes à payer et du classement en retard. Il est presque 19 h quand elle entend du bruit provenant du bureau de maître Daoust. Elle le croyait parti. Elle se dépêche pour ne pas se retrouver seule avec lui. Elle aime et déteste ça à la fois. Elle se sent toujours rougir comme une adolescente dès qu'il s'approche. La porte du bureau de Hugo s'ouvre et le jeune homme sort et la voit, étonné.

— Je me pensais seul au bureau.

— Moi aussi, répond Christine.

— Ça tombe bien, finalement.

— Ah oui ?

— J'aimerais te parler.

Christine rougit, bafouille, prétend être attendue à la maison, se contredit la phrase d'après. Imperturbable, Hugo l'invite à s'asseoir avec lui dans les fauteuils de cuir de la salle d'attente. Christine obtempère. Elle sent le stress monter en elle comme un geyser. Qu'est-ce qu'il va lui dire ? *Je gage que maître Bouchard lui a dit que j'étais amoureuse de lui. Oh, mon doux, non, faites qu'elle lui ait pas dit ça.*

— Hélène m'a dit que… ben que t'as un genre de *kick* sur moi…

Christine ferme les yeux. Elle va se liquéfier de honte. Elle maudit sa patronne de l'avoir trahie. Elle ourdit une vengeance terrible. Elle ne se remettra jamais de cette humiliation. Elle ne pourra jamais rouvrir les yeux et voir son regard apitoyé. Puis elle sent les mains chaudes d'Hugo qui enveloppent les siennes, glacées.

— Te dire, Christine, comment je suis heureux de savoir ça.

Le cœur de Christine prend une pause. Elle a mal entendu. Elle ouvre les yeux. Hugo la regarde. Aucune trace de pitié ni de moquerie.

— Quoi? dit-elle platement.

— Je suis content parce que de mon côté aussi c'est ça.

Christine sent une vague de bonheur monter qu'elle réprime aussitôt. C'est impossible, il rit d'elle. Dans deux secondes, il va se dédire et s'amuser de son malaise. Mais Hugo s'approche d'elle.

— Je comprends pas trop ce qui se passe, moi non plus.

Ils restent à discuter longuement. Quand ils quittent le bureau, il est près de minuit. Hugo lui a confié qu'il n'avait jamais eu de « vraie » blonde. Qu'il n'a jamais eu le temps d'en avoir, en fait. Il a mis toutes ses énergies dans ses études et ensuite dans son travail. Il est aussi surpris qu'elle de ce qu'il ressent. Hugo va reconduire Christine chez elle et, avant de la quitter, il lui donne le baiser le plus doux, le plus tendre, le plus amoureux qu'elle ait jamais reçu.

❧

Léa est si soulagée qu'Arnaud soit revenu vers elle qu'elle prend de plus en plus de risques. Elle a même fait croire à Martine qu'elle s'est inscrite à un cours de danse au centre communautaire trois soirs par semaine pour pouvoir passer plus de temps avec lui. Arnaud préfère la voir seul à seule, mais de temps en temps il l'emmène avec lui voir ses amis. Leurs blondes de quinze ou seize ans ne l'accueillent pas très chaleureusement, la trouvant trop jeune. Léa s'en fout, elle se sent forte, *cool* et puissante en compagnie d'Arnaud. Et c'est lui le plus beau. Elle voit comment les autres filles le regardent. *Il est à moi, c'est moi qu'il aime.* Elle se sent si fière d'avoir été choisie.

Elle est consciente qu'elle ne pourra pas retarder éternellement le moment où elle devra accepter de faire l'amour avec lui. Il sait qu'elle est plus jeune que lui, mais elle doit comprendre aussi que... *Moi, je suis plus vieux, ça fait un boutte que j'attends après toi, j'ai des besoins, tsé. À mon âge, il me faut une blonde qui soit un peu* willing. *Pis tu vas voir comment c'est le fun.* Jusqu'ici elle a réussi à se défiler, mais si elle ne veut pas qu'il la laisse pour une fille plus déniaisée, il faut qu'elle accepte d'aller plus loin. Bientôt, très bientôt.

La mère d'Arnaud est partie en voyage d'affaires pour deux jours et sa jeune sœur est chez une amie durant cette absence. Arnaud a invité Léa chez lui après l'école. Ils seront seuls tous les deux et elle ne partira qu'à 20 h, l'heure de la fin de son prétendu cours de danse. Léa passe par la porte arrière pour ne pas être vue et arrive quelques minutes après Arnaud. Il l'entraîne vers sa chambre au sous-sol où les attendent deux bières déjà décapsulées. Elle n'ose pas lui dire qu'elle déteste le goût amer de cette boisson. Elle prend une gorgée et, malgré ses efforts, ne réussit pas à réprimer complètement une grimace.

— Bon. T'aimes pas ça, conclut Arnaud, avec une pointe d'agacement.

Léa sent qu'elle marche sur une glace très mince. Arnaud est moins gentil avec elle depuis quelques jours. Il n'a plus de patience, elle doit se comporter comme une fille de dix-sept ans ou il va casser.

— Je préfère le vin, mais c'est correct, répond Léa qui a à peine trempé ses lèvres dans une coupe de vin une fois avec sa mère.

Arnaud branche son téléphone sur deux petites boîtes de son. La musique de Caballero emplit la pièce. Arnaud regarde Léa et, malgré tous les efforts qu'elle fait pour avoir l'air *cool,* il sent sa nervosité.

— Veux-tu fumer un joint? Ça va te détendre.

— Non, merci. Je suis correcte.

— Regarde, Léa. Je te forcerai pas à faire des choses que tu veux pas faire.

— Je le sais.

— Mais si t'es pas à l'aise, tu le dis tout de suite pis tu t'en retournes chez toi.

— Ben non, je veux pas partir.

— J'ai assez attendu, tu trouves pas?

— J'ai pas fait exprès. Ça a juste pas adonné.

— Ouain, ouain, répond le jeune homme, pas dupe.

— Pis j'attendais de me faire prescrire la pilule.

— Pis c'est faite?

— Non, pas encore. T'as pas de condoms?

— Ben oui.

Alors il redevient le Arnaud si gentil qu'elle aime tant. Il dit qu'elle est belle, qu'il l'aime et il commence à la caresser. Mais Léa a de la difficulté à se laisser aller. Arnaud, lui, semble complètement abandonné. Il s'excite et n'a pas le même visage que d'habitude, c'est étrange, c'est comme si c'était un autre Arnaud. *Arrête, Léa, tu vas tout faire rater si tu réfléchis sans arrêt.* Elle ferme les yeux et tente de ressentir ce que toutes les filles ressentent quand elles font l'amour. Peut-être n'est-elle pas normale?

Une heure plus tard, au grand soulagement de Léa, c'est terminé. Une heure qui lui en a paru trois. À plusieurs reprises, il lui a demandé si elle aimait ça, chaque fois elle a répondu oui, d'un ton qu'elle espère avoir été convaincant. Elle est allée jusqu'au bout et a fait tout ce qu'il lui a demandé. Elle a même mis son pénis dans sa bouche. Ouache. Elle a eu réellement peur de vomir quand il s'est mis à bouger. Elle s'est retirée juste avant qu'il éjacule et il a eu l'air contrarié. Mais tant pis, pas question d'avaler ça. Double ouache. Elle croyait que c'était fini, mais Arnaud était d'un autre avis. Ils avaient continué et fait l'amour jusqu'au bout. *Me voilà devenue une vraie femme,* se dit-elle avec une pointe de fierté. Arnaud se lève.

— *Fuck,* lance Arnaud

— Quoi?

— Le condom est pété.

— Hein?

— Je l'ai accroché avec mon ongle en le mettant, mais j'ai *checké* pourtant… j'étais sûr qu'il était correct.

— Oh non, dit Léa d'une toute petite voix, paniquée. Je pourrais tomber enceinte ?

— Capote pas, là. Il y a une chance sur mille que ça arrive.

— Oui, mais…

— Bon, Léa, fais pas ton gros bébé. Ça va être correct, réplique Arnaud irrité. T'avais juste à t'organiser pour prendre la pilule plus vite si tu voulais être 100 % sûre.

Léa se tait. Elle se sent affreusement mal. Et si elle tombait enceinte ? Juste d'y penser, elle sent l'angoisse s'emparer d'elle. Et Arnaud qui est bête et impatient avec elle. Elle se lève, prend ses vêtements et va se rhabiller à la salle de bains. Quand elle revient, Arnaud, en caleçon, joue à un jeu vidéo.

— Je m'en vais, Arnaud.

— OK, bye. Viens-tu me donner un bec ?

Léa va vers lui, se penche et l'embrasse. Arnaud tourne la tête, mais ne quitte pas son jeu des yeux.

— Excuse-moi, je joue en direct avec un gars du Nevada, pis je suis en train de gagner.

— C'est correct, répond Léa qui se sent pourtant traitée comme de la bouette.

Elle marche vers l'escalier.

— À demain !

Mais Arnaud n'a rien entendu, trop concentré devant l'écran. Léa monte l'escalier d'un pas lourd. Ce n'est pas exactement comme ça qu'elle avait imaginé sa première fois. Et si elle devenait enceinte ? Elle frissonne en y repensant.

Afin de marquer cette première rencontre officielle, Hélène s'est creusé la tête pour trouver un cadeau adéquat pour Léa. Quelque chose ni trop jeune ni trop vieux. Qu'est-ce qu'une fille de treize ans aime ? Personne dans son entourage n'a de fille de cet âge et elle ne voulait pas demander à Gabriel. Dieu qu'elle s'est remué les méninges. Elle a finalement opté pour une carte-cadeau. À son arrivée chez Gabriel, celui-ci l'accueille avec un chaste baiser sur la joue.

— Tout va bien se passer, lui chuchote-t-il, sentant sa nervosité.

— Oui, oui, c'est sûr, répond Hélène, pas certaine du tout.

— On est dans la cuisine, on finit de préparer le souper.

Léa est affairée à couper une baguette quand ils entrent dans la pièce. Elle est très différente de la fois où elle est venue à son bureau, elle paraît plus âgée. Plus de tresses, plus de chemisier boutonné jusqu'au cou, plus de jupe d'uniforme plissée, Léa porte ses cheveux détachés, des jeans et un t-shirt bleu pâle. Hélène ne peut s'empêcher de penser que la fille est vêtue exactement comme sa mère la fois où elle a invectivé Hélène dans la rue Principale. *Mère et fille portent-elles un uniforme ?* Elle secoue imperceptiblement la tête pour chasser cette ironie. Le moment est mal choisi.

— Bonsoir, Léa. Je suis contente de te revoir.

— Moi aussi, répond Léa en lui tendant poliment la main. Je voulais vous dire…

— S'il te plaît, tutoie-moi.

— D'accord, répond Léa après avoir cherché d'un rapide coup d'œil, l'assentiment de son père. Je veux m'excuser d'être allée à votre… ton bureau sans prévenir. C'était pas très poli.

— C'est déjà oublié, répond Hélène gentiment.

— On repart ça du bon pied, dit joyeusement Gabriel, satisfait des excuses de sa fille.

Léa semble contente du cadeau d'Hélène. Cette dernière propose son aide pour la préparation du repas.

— Noooooon !! dit Gabriel avec un visage terrorisé. S'il te plaît, Hélène, ne nous aide pas !!

Hélène fait une mine faussement peinée, Léa éclate de rire. Le ton est donné. La soirée est mille fois plus agréable qu'Hélène ne s'y attendait. Plus de traces de la Léa frondeuse et exigeante qui s'est présentée à son bureau. Ce soir-là, elle est charmante et rigolote. Elle la surprend parfois à la regarder d'un drôle d'air, mais c'est si fugace qu'elle se demande si son imagination ne lui joue pas des tours.

Hélène a convoqué Christine dans son bureau pour tenter de réaménager son horaire du mois prochain afin de lui permettre de partir dix jours au soleil avec Gabriel.

— Ça sera pas simple.

— Je suis certaine que t'es capable.

Hélène explique ensuite à son adjointe sa volonté d'alléger son horaire de manière permanente. Hélène veut du temps pour vivre. Elle sait que l'arrivée de maître Daoust lui a donné un bon coup de main, il y a deux ans, mais elle est maintenant prête à passer à une autre étape dans la gestion de son temps.

— Ça serait pour quel mois?

— Ben voyons, Christine, lance Hélène, surprise.

— Quoi?

— Je te parle d'un changement permanent.

— Ah ben oui, excusez-moi, dit Christine confuse.

— Ça va, toi?

— Oui, oui. J'étais distraite.

Hélène regarde son adjointe, penchée sur son calepin de notes. C'est vrai qu'elle est moins concentrée, ces derniers temps. Une alarme sonne dans la tête d'Hélène.

— Tu t'es pas trouvé un nouveau travail ailleurs, hein, Christine?

— Non.

— Juré? Tu me le dirais, n'est-ce pas?

— Ben oui! réplique Christine, insultée. Vous pensez quand même pas que je vous laisserais tomber du jour au lendemain. De toute façon…

— Quoi?

— Je suis plus trop certaine de vouloir partir.

— Ah bon?

Silence. Christine replonge dans son calepin.

— Pis tes sentiments pour maître Daoust?

— Ça va mieux. J'ai décroché. C'était du niaisage.

— Ah bon?

— C'est passé. Je sais pas où j'avais la tête. Ça va mieux.

— Juste mieux ou ça va être correct?

— Ça va bien, maintenant. Oubliez ça. Dossier clos.

Hélène trouve ça tout de même un peu bizarre, ce revirement subit, mais elle est tellement soulagée que Christine reste avec elle qu'elle passe outre. Ce départ imminent de sa précieuse adjointe, qui pendait au-dessus d'elle comme une épée de Damoclès, lui pesait affreusement.

— Donc on parle plus de démission?

— Non.

— Ah! Christine, je suis tellement soulagée et heureuse.

— Moi aussi, vous avez même pas idée, répond Christine rougissante, trouvant qu'elle en a trop dit.

Mais Hélène, rassurée, ne remarque ni le malaise, ni les joues rouges, ni le regard pétillant de son adjointe.

Buzzz-le-chat a décidé de demeurer dans sa cachette encore un peu. Il a soif, mais il préfère rester où il est, car il sent la tension monter dans la grande pièce jusqu'à occuper tout l'espace. Bientôt, il le sait, Olivier et Suzie vont se parler fort. Il a déjà été témoin de quelques engueulades. Et ça commence toujours comme ça.

— Arrête de me gosser avec ça! lance Suzie.

— T'es censée me donner l'échéancier depuis hier, Suzie!

— Oui, mais j'ai une présentation à finir.

— Laisse-moi décider des priorités, OK?

— Ça tient pas debout, la présentation est ben plus importante, pis… avance Suzie.

— Suzie, ostie!! C'est qui, le boss, ici?

— C'est toi, Ô grand Olivier Brabant. Ça, pas moyen de l'oublier. En fait, c'est toi quand t'es là. Tsé.

— Je suis tellement écœuré de toujours m'obstiner avec toi à propos de tout!

Un silence lourd s'installe. Buzzz-le-chat avance la tête mais décide de rester encore un peu sur sa soif.

— J'ai vraiment fait des efforts depuis que Théo m'a parlé. Mais toi, tu vois rien. Ton idée est faite sur moi pis tu restes jammé là-dessus, dit Suzie.

Olivier se rappelle avoir promis de clairer l'air avec Suzie mais, avec tout ce qui lui est arrivé dans les derniers mois, il a oublié. Il répond un peu mollement.

— J'ai remarqué.

— T'es toujours sur mon cas.

— Ben non.

— Hey, si tu penses que je te vois pas me *checker* pour me prendre en faute.

Un deuxième silence s'installe. Cette fois, la tension commence à se dégager. Buzzz-le-chat a trop soif, il se risque. Suzie le voit sortir et se diriger vers son tapis. Elle se lève, prend les bols, verse de l'eau fraîche dans l'un et des croquettes dans l'autre. Assis sagement, Buzzz-le-chat attend.

— Tiens, mon tit-homme, lui dit Suzie en déposant les bols.

Le chaton va se désaltérer et manger avec satisfaction. Suzie, comme toujours lorsqu'elle le nourrit, le flatte doucement de la tête jusqu'au bout de la queue. *Vous dire comme c'est bon!* Olivier a observé Suzie en silence. Le chaton croque à pleines dents sa nourriture.

— J'ai oublié de te remercier pour ça.

— Pourquoi? demande Suzie.

— D'avoir pris mon bord quand Théo voulait qu'on donne le chat.

— Je l'aime trop déjà, notre Buzzz-le-chat. Pas autant que Kendrick, mais…

— Deux contre un, ça a fait la job.

— C'est notre mascotte. On peut plus s'en passer, maintenant.

Ils se sourient. *La tempête est passée,* se dit Buzzz-le-chat. Il va se frotter contre les jambes d'Olivier. Stratégie gagnante, le jeune homme le prend dans ses bras et entreprend de la flatter : la tête, les oreilles, le cou… *Vous dire comme c'est bon!*

— Je le sais, Olivier, que tu trouves que je prends de la place, que t'as peur que je prenne la tienne. Mais c'est pas ça. Je le sais que c'est vous deux, les boss de DuoBuzzz.

— Ça paraît pas tout le temps, je vais te dire. Vous êtes ben complices, Théo et toi. Pour vrai, je me sens tellement souvent rejet. Pis chaque fois qu'il est question d'un dossier du temps de ma dépression, je me sens *off* au boutte. C'est pas le fun.

— Pis moi, je me laisse emporter par mon enthousiasme. Jusqu'ici, je travaillais en administration dans des bureaux corrects, mais un peu beiges avec du monde beige. J'aimais ça, là, mais jamais comme ici. Je croyais pas qu'on pouvait autant triper dans une job.

— Tant mieux. Je suis content pour toi. Sans blague.

— Tu penses pas qu'on pourrait essayer de faire un trio plutôt que de s'arracher Théo?

— TrioBuzzz?

— Non, non, pas nécessaire d'aller jusque-là.

— Je suis prêt à m'essayer, promet Olivier.

— Yé!

Spontanément, Suzie se lève et va donner un bisou sur la joue d'Olivier. Buzzz-le-chat sent le changement dans les vibrations d'Olivier. Encore une fois, sa présence dans les bras du jeune homme fait une différence. *Je suis Buzzz-le-chat, convertisseur d'énergie.* Il referme les yeux alors que la main d'Olivier recommence son va-et-vient. *Vous dire comme c'est bon!*

Hélène appelle Christine dans son bureau, mécontente. Cette dernière est debout devant elle. Hélène lui tend quelques dossiers.

— Ces dossiers-là ont rien à voir avec les rendez-vous d'aujourd'hui.

— Ah non? répond Christine, surprise, en prenant les documents.

— Qu'est-ce qui se passe, Christine?

— Rien. Pourquoi vous me demandez ça?

— T'es tellement pas à ton affaire, ces temps-ci?

— Hein? Non.

— Ça, dit Hélène en montrant les mauvais documents. Hier, tu as annulé le mauvais client. Avant-hier, tu as cherché un dossier courant pendant des heures.

— Oui, je l'avais mal classé. Ça arrive.

— Non, pas à toi. Est-ce qu'il se passe autre chose dans ta vie privée? Ton fils?

— Non, non, tout va bien. Ça adonne comme ça. Je suis désolée, s'excuse Christine.

Hélène observe son adjointe. Elle porte une nouvelle robe, d'un style très différent de ce qu'elle porte d'habitude. N'a-t-elle pas changé ses cheveux aussi? C'est rare qu'elle les porte remontés ainsi, en chignon un peu lâche.

— Tu m'as pas habituée à ça.

— Je vais me surveiller. Je vous le promets, maître Bouchard.

— Tu m'apportes les bons dossiers, s'il te plaît?

— Tout de suite.

Christine sort et referme la porte derrière elle. Quand elle se retourne, Hugo est là, devant elle, à quelques pouces. Il l'attire vers lui et lui donne un baiser dans le cou, juste derrière l'oreille, avec douceur et passion. *Oh, mon doux, je vais tomber, c'est sûr.* Quand elle ouvre les yeux, Hugo ouvre la porte de son bureau, se retourne, lui sourit. *Ça se peut-tu, tomber sans connaissance à cause d'un sourire? Ben non! Comprends-toi, Christine.* Elle se force à ne pas penser à la nuit dernière – parce qu'ils ont fait l'amour pour la première fois – ni à la nuit prochaine – elle va chez lui ce soir encore –, car si elle se met à rêvasser elle n'arrivera pas à travailler. Maître Bouchard a raison, elle réussit difficilement à se concentrer. Depuis que Hugo lui a déclaré ses sentiments, qu'ils ont commencé à se fréquenter, Christine ne se reconnaît plus elle-même. Les jambes molles, elle va s'asseoir derrière son bureau. L'interphone sonne.

— Christine, mon prochain rendez-vous est dans dix minutes. Apporte-moi au moins ce dossier-là.

— Tout de suite! répond Christine, se ressaisissant peu à peu.

Hélène regarde Léa, installée à l'îlot, concentrée sur ses devoirs. Ça lui fait bizarre de la voir chez elle. Ils ont convenu de souper chez Hélène ce soir, tous les trois. Gabriel ne devrait pas tarder.

— Léa, ça te va si tu restes ici seule pendant une vingtaine de minutes?

— Ben oui, pas de problème.

— Juste le temps d'aller chercher notre repas chez le traiteur. Ça se peut même que ton père arrive avant mon retour.

— C'est ben correct. J'ai pas peur, tsé. Je suis pas un bébé.

Hélène enfile son manteau et prend son sac à main.

— De toute façon, tu as mon numéro de cell, s'il y a quoi que ce soit.

— Oui, oui. Bye.

Une demi-heure plus tard, quand Hélène revient avec le repas, elle voit Léa qui marche sur le trottoir en direction de chez elle. Elle stoppe son auto.

— Léa? Qu'est-ce que tu fais là?

D'abord un peu surprise de la croiser, Léa s'explique aussitôt, montrant un sac qu'elle a à la main.

— Je suis allée chercher mes instruments de géométrie que j'avais oubliés chez ma mère.

— Je la croyais partie en vacances?

— Oui, mais j'ai la clé.

— Je te donne pas de *lift*, tu es presque arrivée.

— Ben non.

Le temps pour Hélène de se stationner, Léa est arrivée et elles entrent toutes les deux dans la maison où Gabriel les attend.

Gabriel et Léa viennent tout juste de partir et Hélène finit de ramasser la vaisselle sale. Elle réalise soudainement que ça fait un moment qu'elle n'a pas vu Suzanne. Elle regarde l'heure : 20 h. D'habitude, la petite chatte se manifeste autour de 19 h 30, affamée. Hélène va au salon, là où le chaton est souvent couché, blotti dans le coin du fauteuil rouge.

— Suzanne! Minou, minou…

Pendant près d'une demi-heure, Hélène fait le tour de la maison, en vain. Mais où est-elle? Puis une idée la frappe. Fébrile, elle appelle Gabriel et demande à parler à Léa. Cette dernière aurait-elle laissé sortir le chat par erreur? Léa ne le croit pas, mais elle n'en est pas certaine. Hélène rassure tant bien que mal l'adolescente qui se sent coupable, explique rapidement la situation à Gabriel et raccroche. Elle est certaine que Suzanne a filé entre les jambes de Léa quand celle-ci est allée chez sa mère. Elle en pleurerait. Sa toute petite chatte seule dehors la nuit. Trente minutes plus tard, elle arpente les rues de son quartier et agrafe des affiches de chat perdu aux poteaux. Pendant la nuit, elle se réveille plusieurs fois, croyant entendre miauler. Chaque fois, elle descend, ouvre les deux portes, mais toujours pas de Suzanne.

Hugo s'assoit devant Hélène et attend. Cette dernière termine un appel.

— Non, elle est pas rousse, j'ai mis une photo sur l'affiche. (…) Bon, merci quand même.

Elle se tourne vers Hugo.

— J'ai perdu mon p'tit minou. J'ai mis une photo d'elle sur l'affiche, pis le monde m'appelle pour des chats pas rapport.

Elle soupire, agacée.

— En tout cas…

— Je suppose que c'est pas de ton chat que tu voulais me parler, dit Hugo en souriant.

— Non, c'est de Christine.

Hugo se redresse inconsciemment.

— Elle veut plus démissionner, affirme Hugo.

— Comment tu sais? Elle te l'a dit?

— Non, non, un *feeling* comme ça.

— En effet, elle va rester. Ça a l'air qu'elle s'est raisonnée, précise Hélène.

— Ah bon. C'est une très bonne nouvelle.

— Ton charme a arrêté d'opérer, lui dit Hélène avec un sourire moqueur.

— Alors il n'y a pas de problème?

— Oui et non. Elle reste, mais tu la trouves pas un peu bizarre, ces temps-ci?

— Euh… non, pas spécialement.

— Distraite, mêlée? Non?

— Pas avec moi.

— Elle est tellement toujours à son affaire, quasi parfaite… Je suis pas habituée de la voir se tromper, oublier des trucs…

— Elle a peut-être rencontré quelqu'un, elle est peut-être en amour pour vrai, lance Hugo.

— Tu penses?

— Je sais pas, je dis ça de même.

— Ça expliquerait pourquoi elle n'est plus sur ton cas.

— Ouain.

Hugo se lève.

— C'est tout? demande-t-il. J'ai une tonne de travail qui m'attend.

— Oui, oui.

— T'en fais pas pour Christine. C'est la meilleure adjointe sur la boule, dit Hugo en partant.

— Je sais.

Hugo sort et Hélène retourne à son travail. *Christine en amour?* Ça va faire bientôt vingt ans qu'elles travaillent ensemble et Christine n'a jamais eu personne dans sa vie. Elle avait d'abord été sa cliente. Elle traversait un divorce éprouvant et se cherchait du travail après avoir passé plusieurs années à la maison à s'occuper de ses enfants. Elle avait su que l'adjointe d'Hélène venait de déménager à Sherbrooke et avait offert ses services. Hélène avait hésité, mais avait finalement accepté de la prendre à l'essai, sans trop d'espoir que ça fonctionne. En quelques semaines, Christine s'était avérée indispensable. Ses réflexes d'adjointe juridique, un peu rouillés au début, étaient vite revenus et il n'avait plus jamais été question d'essai ni de probation. Son petit côté victime et ses réactions parfois excessives avaient toujours agacé Hélène, mais, à côté de sa compétence sans faille, ça ne pesait pas très lourd dans la balance. Durant toutes ces années, pas l'ombre d'une relation amoureuse. Christine s'était consacrée corps et âme à sa famille et à son travail.

Hélène se promet d'être plus indulgente envers son adjointe. Elle mérite bien d'être heureuse.

Ingrid est assise au milieu d'au moins trois cents personnes dans l'auditorium du cégep. Elle ne croyait pas qu'il y aurait autant de monde à cette conférence « Tirer profit des épreuves de manière créative ». Elle avait décidé d'y assister pour faire quelque chose, ne pas rester inactive. En cherchant une psychologue sur Internet, elle était tombée sur l'annonce de cette conférence et s'était dit que c'était un premier pas. La conférencière était psychologue et le thème semblait sur mesure pour elle. En attendant que ça commence, Ingrid reste penchée sur son téléphone cellulaire pour éviter d'avoir à parler à qui que ce soit. La dernière chose dont elle a envie, c'est de raconter sa vie à des étrangers. Du coin de l'œil, elle voit deux femmes d'une soixantaine d'années s'asseoir à sa gauche. Elles sont en grande conversation, pas de danger de ce côté-là. Pendant qu'elle observe les deux dames, un homme s'est assis à sa droite. Ingrid le voit fermer son cellulaire et regarder droit devant lui. Ingrid se sent un peu soulagée. Personne ne semble vouloir lui adresser la parole. Un homme se présente sur scène.

— Bonsoir, tout le monde! Bienvenue à tous! Veuillez accueillir votre conférencière : Solange Rivière!!!

Le brouhaha des conversations s'apaise aussitôt. Une belle femme d'une cinquantaine d'années, cheveux gris coupés court, vêtue d'une tunique et d'un pantalon de lin, entre sur la scène. Les applaudissements sont fournis. Elle est visiblement connue d'une grande partie des participants.

— Bonsoir! Êtes-vous prêtes et prêts à dompter vos épreuves?

— Ouiiii! crient les participants enthousiastes.

Ingrid soupire. La soirée va être longue.

Quand elle sort du cégep, deux heures plus tard, Ingrid a complètement changé d'opinion sur Solange Rivière. La conférence était passionnante. Cette femme n'est pas une espèce de gourou comme Ingrid l'a d'abord craint. Elle est au contraire une personne terre à terre et spirituelle à la fois. Ingrid a compris des choses sur elle-même et elle a des pistes pour se sortir de son abattement. Contre toute attente, elle a eu une conversation intéressante avec Patrick, l'homme à sa droite, à la pause. Patrick a assisté à plusieurs conférences de Solange. Il dit que cette nouvelle façon de voir a transformé sa vie. Ingrid a même donné un dépôt pour le week-end « Redessiner ma vie intérieure » qui aura lieu dans quelques semaines à Saint-Sauveur dans les

Laurentides. Elle est survoltée quand elle revient au condo et a hâte d'en parler avec Olivier. Mais ce dernier est déjà endormi et Ingrid se résigne à se coucher avec cette énergie débordante au cœur.

❧

Hélène vient tout juste d'arriver du bureau quand on cogne à sa porte. Elle a d'abord un mouvement d'agacement. Elle est vannée et n'aspire qu'à prendre un bain, manger un bol de céréales et aller se coucher. Mais dès qu'elle ouvre la porte, l'expression sur le visage de Léa l'alerte.

— Ça va, Léa?

— Non.

Hélène la fait entrer et s'installer dans le salon pendant qu'elle va lui chercher un verre d'eau.

— C'est ta semaine chez ta mère, non?

— Oui, mais elle pense que je suis à un cours de danse.

— Qu'est-ce qui se passe?

Léa baisse les yeux et avoue dans un souffle.

— Je suis pas complètement sûre, mais je pense que j'ai une maladie vénérienne.

— Hein? réagit Hélène, tombant des nues.

— Oui.

— Oh, mon doux, je me doutais tellement pas que tu… lance Hélène. Faut que tu en parles à tes parents. Pas à moi.

Hélène est très surprise. Léa lui apparaît comme une petite fille encore. Elle fait l'amour, déjà, à son âge? Gabriel lui a vaguement parlé d'un chum de dix-sept ans. Ça doit être lui qui l'a amenée à le faire de manière si précoce et sans protection.

— Ma mère va me tuer, dit Léa.

— Ben non, voyons. Elle sera peut-être d'abord en colère, mais je suis certaine qu'elle va t'aider.

— Non, je veux pas, répond Léa, butée.

— Appelons ton père alors, dit Hélène, la main déjà sur son cellulaire.

— Non!! crie presque Léa.

— Pourquoi pas?

— Parce que... parce que c'est lui.

— C'est lui quoi? demande Hélène, ne comprenant pas.

Léa prend quelques secondes avant de répondre, consciente de la bombe qu'elle s'apprête à lâcher.

— C'est peut-être lui qui me l'a transmise.

Hélène sent le sang se retirer de son visage.

— Qu'est-ce que tu dis là? prononce Hélène d'une voix atone.

CHAPITRE 9

Depuis l'instant où Léa a lancé sa bombe, Hélène a l'impression que le sol se dérobe sous ses pieds, et tout ne fait qu'empirer à mesure que les minutes s'écoulent. Sans cesse, elle se demande pourquoi Léa est venue lui parler à elle. Pourquoi doit-elle gérer cette situation ? Comment peut-elle s'occuper de ça adéquatement en étant la conjointe de l'accusé. *C'est quoi ça ? L'appeler « l'accusé »?!? Hélène Bouchard, franchement !*

Hélène se sent coincée entre cette déclaration et ce qu'elle connaît de Gabriel, lequel, elle en est sûre, ne pourrait avoir abusé de sa fille. Ça se sent ces choses-là, non ?

Hélène fait d'abord asseoir la jeune fille.

— C'est très grave ce que tu dis là, Léa.

— Je le sais, qu'est-ce que tu penses !

— Je suis la blonde de ton père. Pourquoi tu viens me dire ça à moi ?

— Parce que t'es avocate. Je me suis dit que tu saurais quoi faire.

— OK, Léa. J'ai bien compris, n'est-ce pas ? Premièrement, t'as une maladie vénérienne…

— Je suis pas certaine.

— D'accord. Tu penses en avoir une et, deuxièmement, tu soupçonnes ton père d'être responsable parce qu'il a eu des relations sexuelles avec toi. C'est ça ?

Une boule d'angoisse empêche Hélène d'avaler.

— Oui, dit Léa en baissant la tête.

— Pauvre cocotte...

Hélène la prend dans ses bras, ne sachant trop quoi faire d'autre pour la réconforter.

— Faut appeler ta mère.

— Non ! lance Léa en se dégageant. Je veux pas !

— Tu penses quand même pas que tu peux tenir Martine en dehors de ça. Si tout ça est bien vrai, c'est extrêmement grave...

— C'est vrai ! crie Léa.

— Excuse-moi, c'est mon métier qui me fait parler comme ça. Ce que je veux dire, c'est que ça pourra pas rester entre nous, tu le sais bien. Donne-moi le numéro de cellulaire de ta mère, s'il te plaît.

Hélène doit se battre longuement pour que Léa, sanglotante, lui donne enfin le numéro de téléphone de Martine.

— Bonjour, madame Beauregard, c'est Hélène Bouchard...

— Je suis occupée, j'ai pas le temps de vous parler.

— Ça concerne Léa. Elle est correcte, je vous rassure tout de suite. Mais elle a besoin de vous.

— C'est la semaine de son père. Réglez ça avec lui.

Hélène n'arrive pas à se résoudre à dire ça au téléphone.

— Je vous assure que c'est assez grave pour que j'insiste. Pouvez-vous venir la chercher chez moi ? Je vous donne l'adresse.

Martine accepte de mauvais gré et arrive une trentaine de minutes plus tard.

— Quoi ? s'exclame Martine, horrifiée. J'ai-tu bien compris ? Ton père a abusé de toi sexuellement ?

— Oui, fait Léa d'une toute petite voix.

— Oh, mon Dieu, dit Martine, main sur la bouche.

Comme Hélène avant elle, Martine peine à retrouver son calme.

— Bon, viens à la maison.

— J'aime mieux rester ici.

— Léa, ma chouette, on part. D'ailleurs, j'aimerais bien ça comprendre pourquoi t'es venue lui dire ça à elle, reprend Martine dont l'amertume refait surface.

Léa la regarde, désemparée. Martine se rend compte aussitôt que cette question est déplacée.

— Oublie ça. Je ne sais plus ce que je dis. Allez, ma chouette, on s'en va.

C'est à peine si Martine a salué Hélène en partant. Une fois les deux parties, Hélène s'affale sur le canapé, dévastée. Qu'est-ce qu'on fait quand la fille de son chum annonce une chose pareille? *Je peux pas lui téléphoner,* se dit-elle. *Pourquoi pas? Si tu le fais pas, t'as l'air de dire qu'il est coupable.* Léa a peut-être inventé tout ça. Peut-être qu'avec Martine, Léa va se rétracter. Mais si elle n'avertit pas Gabriel, elle manquera de solidarité envers lui et elle persiste à penser qu'il ne peut pas avoir fait ça. Impossible.

Hélène prend le temps de se calmer un peu, de reprendre contenance et compose le numéro de Gabriel. Non, il n'a pas vu Léa depuis ce matin. Oui, il peut parler, il est seul dans son bureau chez Tarpan. Un long silence suit la révélation d'Hélène.

— Tu me fais marcher, j'espère, dit-il d'une voix blanche.

— Non. Elle est avec ton ex en ce moment.

— Pourquoi tu m'as pas téléphoné en premier? Martine va faire toute une histoire...

— Gabriel, ta fille t'accuse d'abus sexuel. Je pouvais pas te demander de venir t'en occuper. Penses-y.

— Tu crois quand même pas cette histoire-là?

— Non, bien sûr que non. Mais Léa, elle...

— Mais pourquoi elle raconte ça?

— Je sais pas.

Elle sent la panique qui monte chez Gabriel et ne sait trop quoi faire pour l'aider, le rassurer.

— Mais c'est épouvantable, reprend Gabriel. Je fais quoi, moi ? Elle va revenir sur ce qu'elle a dit. Elle peut pas sortir des énormités comme ça. J'ai l'impression de faire un cauchemar. Faut que je lui parle, que je parle à Martine...

— Oui bonne idée. Fais ça pis rappelle-moi après.

Ne reste plus qu'une chose à faire pour Hélène. Attendre...

Dans l'auto, Martine avertit sa fille.

— On parlera pas maintenant, sinon j'ai peur de faire un accident.

Le trajet se déroule dans un silence lourd. Mais aussitôt dans la maison, Martine fait asseoir sa fille et entreprend de faire la lumière sur ces accusations.

— Léa, cocotte, c'est très grave ce que tu dis là.

— Arrêtez de me dire ça ! Je le sais.

Martine pince les lèvres. Bien sûr que l'avocate lui avait dit ça avant elle.

— À combien de reprises c'est arrivé ?

— Quelques fois.

— Sois plus précise, s'il te plaît.

— Je sais pas. Cinq, six fois peut-être.

Le téléphone cellulaire de Martine sonne. Elle jette un coup d'œil sur l'afficheur : c'est Gabriel.

— C'est papa. Je veux pas lui parler.

— Personne parle à ton père pour le moment.

Martine ferme l'appareil.

— Ça a commencé quand ?

— Ça fait pas si longtemps.

— Quand exactement ?

— Six mois peut-être.

Martine est extrêmement troublée. Gabriel a bien des défauts, mais abuseur sexuel ? Elle demande à Léa ce que Gabriel lui a fait.

Après avoir entendu la description précise de ce que son ex a exigé de sa fille, Martine est convaincue. Jamais Léa n'aurait pu inventer une chose pareille. Martine prend ses clés de voiture et intime à Léa de venir avec elle.

— On va où ?

— À la police.

Martine tente de rester calme et forte. Deux états qu'elle arrive rarement à atteindre. Cette fois, elle doit le faire, pour le bien-être de sa fille. Et elle doit aussi arrêter de se sentir coupable. Gabriel dirait qu'une fois de plus elle ramène les choses à elle. Mais son ex est un agresseur, alors son opinion ne compte plus.

On les conduit dans une salle et, rapidement, une travailleuse d'intervention se joint à elles. Quelques minutes plus tard, l'inspecteur Quenneville entre dans la pièce. Tout le monde est doux et gentil avec Léa. Martine décide de rester coite et d'observer. De toute façon, elle est tellement dépassée par la situation qu'elle ne saurait plus quoi dire. Mais comment Gabriel en est-il arrivé à faire ça à leur petite fille ? Juste d'y penser lui donne la nausée.

— Léa, dit l'inspecteur Quenneville, je vais te poser quelques questions sur ce qui s'est passé avec ton père.

— D'accord, répond Léa, intimidée.

— Je vais démarrer la vidéo.

— Une vidéo ? s'exclame Martine. Pourquoi ?

— C'est la procédure, madame Beauregard, lui répond la travailleuse sociale. Les témoignages sont toujours enregistrés.

— C'est correct, ça me dérange pas, dit Léa, plus à l'aise que sa mère.

La séance de questions dure près d'une heure. L'inspecteur Quenneville pose jusqu'à trois fois les mêmes questions tout au long de l'entretien. Léa répond avec assurance, se dit Martine.

Elle est fière de sa fille qui n'a pas peur, elle, de prendre les moyens pour se défendre, même si elle est très émotive par moments. Ce côté brave, ce n'est pas d'elle qu'elle l'a hérité. À la fin de l'entretien, la travailleuse sociale leur donne un numéro de téléphone pour la joindre au besoin. Martine demande à Léa de l'attendre à l'extérieur de la salle, elle doit parler à l'inspecteur Quenneville.

— C'est quoi la suite des choses?

— Nous allons avoir un entretien avec le père de Léa.

— Vous allez l'arrêter? interroge Martine.

— Dans un premier temps, non. Mais il ne pourra pas voir Léa seul, si c'est ce qui vous inquiète. Et on va faire un signalement à la DPJ.

— C'est obligatoire?

— Oui. C'est la procédure.

— Bon. OK.

— Vous doutiez-vous de quelque chose? vérifie-t-il.

— Pas du tout. Jamais j'aurais cru. Je me sens tellement coupable.

— Faut pas. On devra sans doute reparler à Léa, dans quelques jours.

— D'accord.

Martine rejoint sa fille et elles quittent le poste de police.

— Qu'est-ce qui va arriver à papa?

— La justice va s'occuper de lui, répond Martine. Il va devoir payer pour ce qu'il t'a fait, ma cocotte.

— Payer comment? Il va faire de la prison?

— Peut-être. Pense pas à ça pour le moment…

Il est maintenant près de minuit et Gabriel n'a pas réussi, malgré ses nombreuses tentatives, à rejoindre Martine. Il est sur le point de téléphoner à Hélène quand on sonne à sa porte. Il ouvre et deux policiers en uniforme sont devant lui. Il a aussitôt l'affreuse certitude que Léa a raconté son histoire à la police.

— Monsieur Gabriel Delisle?

— C'est moi, oui.

— Pouvez-vous nous accompagner au poste? On a quelques questions à vous poser.

— À quel sujet?

— L'inspecteur Quenneville va tout vous dire ça. Nous, on sait rien. On est juste venus vous chercher, répond le policier.

— Je vais prendre mon veston.

Les deux heures suivantes, Gabriel les passe assis dans une petite salle sans fenêtre du poste de police de Granby, à dire et à répéter que non, il n'a jamais eu de relation sexuelle avec sa fille, ni même le moindre attouchement. L'inspecteur a beau lui poser les questions de toutes sortes de manières, Gabriel martèle sans cesse son innocence.

— On va vous laisser retourner chez vous, monsieur Delisle, dit finalement Quenneville. Évidemment, vous ne quittez pas Granby sans nous en avertir.

— D'accord, répond un Gabriel épuisé.

— Si vous souhaitez voir votre fille, ça sera en compagnie d'une travailleuse sociale tant et aussi longtemps que notre enquête sera en cours.

Gabriel acquiesce. Il peine à retenir ses larmes.

Hélène et Gabriel se retrouvent le lendemain au parc Victoria. Hélène regarde son amoureux s'approcher et, même de loin, elle peut sentir la différence dans son énergie. Gabriel s'arrête à quelques pas. Elle note des cernes autour de ses yeux qu'elle n'a jamais vus avant. Elle fait un pas vers lui. Gabriel la stoppe d'un geste.

— Jure-moi que tu crois pas ça, lui demande-t-il d'une voix désespérée.

— Bien sûr que non, assure Hélène. Pas du tout.

Quelque chose se détend dans la posture de Gabriel. Hélène va vers lui et le prend dans ses bras. Ils restent un long moment, enlacés et silencieux. Une fois assis, Gabriel regarde Hélène.

— Pourquoi ? Pourquoi Léa a dit une chose pareille ?

Elle voit l'incompréhension dans son regard et une peine immense.

— Je sais pas… Elle est jeune, peut-être que…

— Elle sait bien qu'elle ment. Pourquoi ?

Hélène ne sait pas quoi répondre. Elle se pose elle-même la question depuis hier. Qu'est-ce que Léa cherche ? De l'attention ? Comme s'il avait lu dans ses pensées, Gabriel reprend.

— C'est pas parce qu'elle manque d'attention, je m'occupe beaucoup d'elle. On fait plein de trucs ensemble. Tu le sais !

— Oui.

— Qu'est-ce qui a bien pu se passer dans sa tête ? Si tu avais entendu la police, hier…

— Ils t'ont déjà interrogé ?

— Oui, hier soir.

— Ouf, ça n'a pas traîné.

— J'ai passé des heures à leur répéter que je n'ai JAMAIS touché à ma fille. Pour vrai, Hélène, j'ai l'impression que tout ça n'est qu'un mauvais rêve. Je peux pas croire…

— Je sais pas quoi te dire.

— Je pourrai pas la voir seul à seule, évidemment. Pis Martine qui retourne pas mes appels.

— Aie confiance. Elle pourra pas continuer à mentir comme ça. Il y a des pros dans la police qui vont voir clair dans ses mensonges.

— Ça paraissait pas hier, en tout cas. L'inspecteur Quenneville, pas commode.

— Quenneville ? Ah oui ?

— Tu le connais.

— Oui.

Hélène trouve que le moment serait bien mal choisi pour dire à Gabriel que Stéphane Quenneville a déjà été son amoureux. Ce dernier avait été très frustré de leur séparation à l'époque, mais il est venu aux funérailles d'Étienne et ils se sont croisés quelques fois depuis au tribunal. Elle devrait peut-être lui téléphoner ? Non. Très mauvaise idée. Qu'est-ce qu'elle pourrait bien lui dire de toute façon.

Après plus d'une dizaine de tentatives, Gabriel réussit enfin à joindre Martine.

— Gabriel Delisle, arrête de me téléphoner. J'ai rien à te dire.

— Martine, s'il te plaît, raccroche pas.

Martine reste au bout du fil, mais Gabriel se bute à un silence hostile.

— J'aimerais ça te voir.

— Non.

— Dix minutes seulement. Je te jure. Faut qu'on parle de ce qui arrive. As-tu idée de ce que je vis ?

— Et ce que vit Léa ? Hein ?

Gabriel se retient de répliquer que leur fille est une menteuse. Ça ne serait rien pour inciter Martine à le voir.

— Elle est à l'école aujourd'hui ? demande-t-il.

— Oui.

Gabriel attend quelques secondes. Martine reprend.

— OK, viens, mais on reste sur la terrasse dehors, pis je rentre après dix minutes.

— OK. J'arrive.

Gabriel ramasse ses clés et quitte son bureau. Il remercie le ciel que sa sœur et son frère soient en voyage d'affaires en Arizona.

Penchée sur son téléphone, Martine active une minuterie : dix minutes précises. Gabriel se force pour ne pas protester. Martine lève la tête.

— Après ce que tu as fait, je sais pas trop ce que tu as à me dire. Comment t'as pu...

Martine s'interrompt, un sanglot dans la gorge.

— Martine, je peux pas penser que tu crois ça.

— Moi non plus, au début, mais...

— Mais quoi, demande Gabriel.

— Avec tous les détails qu'elle a donnés...

— Elle est peut-être tombée sur de la porno.

— Oh non. Il était question de goût et de sensation qu'elle peut pas savoir sans les avoir vécus.

— J'ai rien fait à Léa. C'est peut-être son chum...

— Ils se voient plus depuis des semaines...

— Ah bon.

— Elle dit que ça a commencé quand vous êtes allés au planétarium, au début de l'hiver dernier. Vous avez couché dans un hôtel à Montréal. Dans la même chambre.

— Ben oui.

— Pis il y avait seulement un lit.

— C'était la seule chambre libre. C'était un lit king. On a été à trois pieds l'un de l'autre toute la nuit.

— C'est pas ce qu'elle dit.

— Ce que je donnerais pour savoir pourquoi elle ment.

— Ça reste à voir.

Les deux gardent le silence quelques instants.

— Martine, tu me connais depuis plus de quinze ans.

— Je pensais te connaître, corrige-t-elle.

— Tu crois vraiment ce qu'elle raconte?

— Quelle sorte de mère je serais, si je croyais pas ma fille? Tu serais pas le premier abuseur à crier son innocence.

— Jamais, JAMAIS, je toucherais à Léa. Martine. Crois-moi.

Martine regarde son ex dans les yeux. Gabriel soutient son regard. Il la sent vaciller.

Hélène sort d'un procès quand elle arrive nez à nez avec Stéphane Quenneville.

— Allô, Hélène.

— Bonjour, Stéphane. Ça va ?

— Numéro un. Toi, par contre…

— Quoi ? demande Hélène.

— J'ai su que tu es en couple avec Gabriel Delisle.

— Oui.

— Décidément, t'as le tour de te trouver des chums qui se mettent dans le trouble.

Stéphane fait allusion à Étienne qui avait été soupçonné dans l'enquête sur le meurtre de Caroline Hébert, une ex d'Étienne. Et au fait aussi qu'un autre de ses ex a été condamné pour complicité dans cette histoire.

— Gabriel est innocent, répond Hélène avec assurance.

— Je suis pas vraiment étonné que tu dises ça. Tout le monde dit ça, au début. Mais, tu vois, plus l'enquête avance, plus…

Stéphane s'interrompt.

— Je peux évidemment pas discuter de ça avec toi.

— J'ai rien demandé.

— Bonne journée, Hélène.

— À toi aussi.

Hélène reste perplexe. Qu'est-ce qu'il a dit exactement ? Il parlait de manière générale ou il a voulu dire que son enquête avance au sujet de Gabriel ? Cette conversation, en plus de la piquer au vif, sème l'angoisse dans le cœur d'Hélène.

Les soirées en tête-à-tête ne sont plus les mêmes. La conversation tourne autour d'un seul sujet, devenu une obsession pour Gabriel.

— Faudrait que je la voie pour lui demander pourquoi elle fait ça.

— Lui as-tu proposé une rencontre ? s'informe Hélène.

— Oui. Léa refuse.

— Pourquoi tu penses ?

— Parce qu'elle veut pas m'affronter en personne. Elle le sait, elle, qu'il ne s'est rien passé.

— L'as-tu dit à la travailleuse sociale ?

— Ben oui. Selon elle, si Léa veut pas me voir, c'est qu'elle est traumatisée par ce que je lui ai fait.

— Ah, répond Hélène platement. C'est vrai que, de leur point de vue…

Ils mangent quelques minutes en silence.

— Je dors plus.

— Ça paraît. Tu devrais peut-être aller voir un médecin pour te faire prescrire des somnifères. Tu vas t'épuiser si tu continues comme ça.

— Je suis tellement sonné. T'as pas idée. Ma petite fille, ma Léa qui ment, qui raconte ça à mon sujet. Mais qu'est-ce que je lui ai fait ?

— Aurais-tu eu un geste qu'elle aurait mal interprété ?

— Hein ? ! Ben non ! Elle dit que je lui ai transmis une maladie vénérienne !

— Excuse-moi, je dis n'importe quoi. Ça me trouble tellement, moi aussi.

À cet instant, on sonne à la porte. Gabriel va répondre. Les mêmes deux policiers sont de nouveau face à lui.

— Oui ? demande Gabriel, figé.

— On a un mandat pour venir prendre des vêtements appartenant à votre fille.

— Pourquoi ?

— Pour faire des tests ADN.

Gabriel est livide.

— Monsieur Delisle, pouvez-vous nous laisser entrer, s'il vous plaît ?

L'inspecteur Quenneville a convoqué Léa pour un autre interrogatoire. Cette fois, il est accompagné par l'inspecteure Zeledon, une spécialiste des crimes sexuels. Elle pose essentiellement les mêmes questions, encore une fois. Léa donne les mêmes réponses. Elle lui demande de décrire la relation sexuelle qu'ils ont eue à la maison du lac Massawippi, il y a trois mois. Léa s'exécute en donnant des détails. Martine ferme les yeux, accablée. Léa leur dit aussi que, les autres fois, c'était à la maison de son père. L'inspecteur leur annonce que les résultats des tests médicaux sont arrivés et que Léa ne souffre d'aucune maladie vénérienne.

— Mais ça piquait! proteste Léa.

— Probablement seulement une vaginite ou une simple irritation, répond l'inspecteure.

Martine est soulagée de ça au moins.

— Nous allons devoir parler à tes amis, reprend Zeledon.

— Hein? Pourquoi? demande Léa avec une pointe de panique.

— Peut-être qu'ils ont remarqué quelque chose, que...

— Non!! Je veux pas.

— T'as pas à avoir honte de ça, Léa. T'es la victime dans cette histoire-là.

— Je sais, mais je veux pas que vous parliez de ça à mes amis. Maman! Dis-leur!

— Êtes-vous obligés? demande Martine.

— Ça fait partie de la procédure.

— On s'en fout. JE VEUX PAS! Je veux pas que tout le monde sache à mon école que mon père a abusé de moi. Si vous faites ça, je vous avertis...

— Oui? demande l'inspecteure Zeledon, calmement.

— Rien, je veux pas, c'est tout.

À partir de ce moment, il n'y a plus rien à tirer de Léa. La séance se termine quelques minutes plus tard. Mère et fille restent silencieuses durant le voyage de retour à la maison. Léa va immédiatement dans sa chambre et s'y enferme.

Depuis leur altercation, Hélène et Réjanne ont soigneusement évité de reparler de Gabriel. Ce soir, au Pub St-Ambroise, où elles se sont donné rendez-vous pour souper, elles évitent encore le sujet en attendant Julie. Réjanne finit de lui parler du malaise que son mari Philippe a eu, quand Julie se pointe finalement.

— Tu parles d'une heure pour arriver, lance Hélène, se forçant à blaguer.

Mais Julie n'est pas d'humeur à rigoler.

— Comptez-vous chanceuses, j'ai failli pas venir.

— Hein? Moi non plus, à cause de la santé de Philou, dit Réjanne. Ça me coûtait de le laisser seul. Il a eu une faiblesse parce qu'il est trop stressé. Il vient de sortir de l'hôpital.

— Pis moi, ça me tentait pas trop de sortir de chez moi ce soir, précise Julie.

— Ça c'est pas une très bonne excuse. On l'aurait pas acceptée, hein Réjanne? dit Hélène dans un effort pour détendre l'atmosphère, sentant la tension entre ses deux amies.

— Non, madame, si moi je suis venue…

— Vous auriez pas eu ben ben le choix, répond Julie.

— Mon doux, t'es donc ben intense, toi, ce soir, remarque Réjanne.

Les trois femmes papotent légèrement en attendant que la serveuse vienne prendre leur commande. Hélène regarde son amie Julie: ça ne lui ressemble pas de manquer d'humour à ce point-là. Elle la regarde avec plus d'attention. L'impression fugace qu'elle a depuis quelque temps, chaque fois qu'elle lui parle, se confirme ce soir: Julie semble mal en point. Elle a des cernes qu'elle n'avait pas auparavant et ses traits semblent tirés. Hélène se promet d'aller la voir cette semaine pour tirer ça au clair.

— Ça va, toi, Julie? T'as l'air un peu maganée… demande Réjanne avec son absence de tact habituelle.

— Oui, un peu. Je fais beaucoup d'insomnie. Les chaleurs, répond Julie évasivement. Pis le voyage au Mexique m'a fatiguée.

— T'es allée rejoindre William, finalement? demande Réjanne.

— Seulement une semaine.

— T'as maigri aussi, non? souligne Hélène.

— J'ai commencé à faire de la course.

— Ah ouain? Pis t'aimes ça pour vrai, demande Réjanne.

— Oui, si j'en fais, c'est parce que j'aime ça.

Réjanne reste coite. Julie ne l'a pas habituée à ce genre de réplique du tac au tac.

— Jasons de quelque chose de plus intéressant, dit Julie. Comme les amours d'Hélène, par exemple.

Hélène tente d'abord d'éviter le sujet des accusations de Léa. Mais ces femmes sont ses meilleures amies. À qui en parlera-t-elle si ce n'est pas à ces deux-là? Après un moment, elle leur fait part de ce qui arrive à son Gabriel. À peine a-t-elle commencé qu'elle s'arrête, ayant l'impression de trahir Gabriel. Mais elle est déjà allée trop loin. Ses amies la pressent de poursuivre. Elle continue, convaincue de leur discrétion. Julie semble mal à l'aise en entendant les accusations qui pèsent sur le nouvel amoureux d'Hélène, mais elle se force visiblement pour avoir de la compassion. Réjanne, quant à elle, devient de glace.

— Qu'est-ce que je t'avais dit?! lance-t-elle, presque triomphante.

Hélène est piquée. Elle rétorque tout de go.

— Tu m'as rapporté des ragots qui viennent de sa femme.

— Non, je t'ai dit que cet homme-là était pas net.

— Ben non! Ton amie Martine bitchait sur son ex, pis toi, t'as tout gobé.

— Je sais des choses que tu sais pas sur lui.

— Bon, encore, répond Hélène exaspérée.

— Je comprends ce que Martine voulait dire, maintenant. Elle m'a pas raconté comme tel, mais… Hélène, sois pas naïve! poursuit Réjanne.

— Je suis certaine que c'est pas vrai, que la p'tite ment, déclare Hélène avec assurance.

Elle ne veut pas que ses amies sachent à quel point tout ça l'inquiète. Elle veut se montrer forte, surtout devant Réjanne qui la confronte à chaque occasion.

— Oh, mon doux, toi, une avocate, tu te laisses manipuler comme ça. J'en reviens pas, lance Réjanne.

— Tu le connais même pas! De quel droit tu le condamnes?!

— Hey, hey, les filles, les interrompt Julie.

Un silence inconfortable s'installe.

— Parlons d'autre chose, demande Hélène, fermée. J'ai vraiment pas besoin que mes amies me tombent dessus. C'est déjà assez difficile comme ça.

— Excuse-moi, Hélène. J'ai réagi comme ça, parce que je veux pas que tu te fasses du mal. Je me calme, là, répond Réjanne.

Hélène finit par se laisser convaincre de reprendre le sujet, mais le cœur n'y est plus. Elle a été arrêtée dans son élan et elle n'a plus le goût de partager ce qu'elle ressent. Elle est soulagée quand la conversation se déplace vers la fondation de Réjanne, puis sur le voyage de William au Mexique.

Hélène entre dans la maison, qui lui paraît si vide. Suzanne n'a jamais été retrouvée. Elle s'ennuie de la petite chatte qui venait à sa rencontre quand elle revenait chez elle. Et, contrairement à d'habitude, elle n'a pas trouvé de réconfort auprès de ses amies: Julie semblait ailleurs et Réjanne, résolue à semer le doute en elle. Alors que Julie était aux toilettes, Réjanne lui avait dit:

— Parlons-nous demain. Je sais des choses sur ton chum qui vont changer ta manière de le voir.

— Ben voyons.

— Tu le connais depuis combien de temps?

— Plusieurs mois.

— Comme chum?

— Non, ça, ça fait moins longtemps, était obligée d'admettre Hélène.

— Peut-être que tu penses le connaître, mais en fait…

— Qu'est-ce que tu veux dire? avait demandé Hélène, agacée.

— Pas maintenant. Julie revient.

Cette conversation a semé une horrible petite graine et voilà qu'un doute s'insinue en elle comme un serpent malfaisant. Si elle est parfaitement honnête, elle doit bien avouer qu'elle connaît peu Gabriel. Leur relation commence à peine et ils sont encore, ou plutôt ils étaient encore, avant cette affreuse accusation, sur le nuage rose des débuts. Elle n'a pas encore vu ses défauts ni ses failles. Se pourrait-il que… *Non! Je ne peux pas avoir manqué d'instinct à ce point-là. Impossible…*

Hélène se glisse dans son lit. Ça fait longtemps qu'elle ne s'est pas sentie aussi seule.

CHAPITRE 10

Ingrid est énervée comme une puce. Elle ne pensait jamais avoir aussi hâte de participer à ce week-end de ressourcement. Sa valise, remplie de vêtements confortables, est bouclée depuis la veille. Elle se sent survoltée comme lorsqu'elle avait dix ans et qu'elle partait au camp de vacances. Une touche de maquillage et elle sera prête à partir. Elle a, une fois de plus, essayé de partager son excitation et son enthousiasme avec Olivier, mais ce dernier est trop pris par ce gros événement qu'il organise pour la Ville de Granby. Elle sort de la chambre, bagage à la main, et se dirige vers son homme qui est assis à la table de la salle à manger, enseveli sous la paperasse, le cellulaire à l'oreille.

— Bye, Oli, lui dit Ingrid dès qu'il a terminé son appel avec le maire Bonin.

— Déjà?

— On est attendus à 13 h, fait que…

— Bon week-end, ma belle blonde.

— Merci.

— C'est où, à Saint-Sauveur, votre patente?

Ingrid tique un peu sur le «votre patente», mais elle est trop de bonne humeur pour s'en offusquer.

— À l'auberge Le Samaritain, en fait. Je t'ai envoyé un courriel avec toutes les coordonnées.

— OK. Amuse-toi bien.

— Je m'en vais pas m'amuser, je vais me ressourcer. C'est pas pareil.

— C'est ce que je voulais dire, répond Olivier, ses pensées déjà retournées à son événement.

Ingrid se penche, embrasse son mari et sort. Elle range sa valise dans le coffre arrière de son auto et s'installe au volant. Le soleil brille et elle a le cœur léger. Elle a l'impression que son existence va prendre un tournant avec ce week-end. Elle est prête à « redessiner sa vie » parce qu'elle n'en peut plus d'être coincée dans cette espèce de cul-de-sac qu'est devenue son existence. À la radio, Safia Nolin chante *Loadé comme un gun*. Elle démarre, sourire aux lèvres.

Hélène a donné rendez-vous à Réjanne au belvédère Georges-Aimé Landry pour se faire raconter ce qu'elle sait sur Gabriel. Hélène tourne et retourne tant de scénarios dans sa tête qu'elle ne sait plus quoi penser. Quand Gabriel lui a demandé si elle le croyait coupable et qu'elle a répondu avec assurance par la négative, il y a quelques semaines, elle était sincère. Aujourd'hui, elle a perdu toutes ses certitudes. Elle est arrivée près de vingt minutes en avance tellement elle brûle de savoir ce que Réjanne a à lui dire. Elle ressent une petite poussée d'adrénaline en voyant son amie arriver.

— Allô, Hélène, lance Réjanne gentiment.

Tiens, se dit Hélène, *Réjanne a perdu l'attitude agressive qu'elle avait au souper de filles.* Les deux femmes se font la bise et Réjanne s'assoit à côté de son amie.

— J'ai tellement hâte que tu me racontes l'affaire qui concerne Gabriel.

— J'ai un peu regretté ce que je t'ai dit, juste au moment où on se laissait, avoue Réjanne. Ça a dû te trotter dans la tête, hein ?

— Sans arrêt, confirme Hélène.

— Ça n'a peut-être aucun rapport, remarque, mais je pense qu'il faut que tu le saches pareil.

— Raconte, demande Hélène impatiente.

— Martine, son ex, m'a raconté cette histoire-là il y a un bout de temps déjà. Mais ça m'est revenu en mémoire quand tu m'as dit pour l'accusation de sa fille. Il y a environ deux ans, quelques mois seulement avant leur séparation, il y avait cette fillette d'une douzaine d'années, extrêmement douée en équitation qui s'entraînait chez Tarpan. Elle était tellement bonne que c'est Gabriel lui-même qui avait pris en charge son entraînement. Pis un jour, elle lui a fait une grande déclaration d'amour.

Hélène est bouche bée.

— Ben voyons donc, arrive-t-elle à articuler. Qu'est-ce qu'il a fait ?

— D'après ce que Martine m'a dit, il a repoussé gentiment les avances de la fille et a téléphoné aussitôt à ses parents.

— C'était la bonne chose à faire, non ?

— Oui, oui. Ils ont retiré leur fille de chez Tarpan pis ça a fini là, semble-t-il.

— Pourquoi tu dis « semble-t-il » ?

— Ben parce que…

— Quoi ?

— Je me dis que c'est un méchant hasard.

— Il avait rien à voir là-dedans. Il peut quand même pas contrôler l'effet qu'il a fait sur cette fillette-là.

— Non, non, c'est vrai… dit Réjanne d'un ton hésitant.

— C'est quoi là ?

— C'est étrange quand même, non ? Moi, en tout cas, je me dis qu'il y a pas de fumée sans feu.

— Je trouve pas. Il a agi de manière responsable et saine, affirme Hélène avec une assurance qu'elle est loin de ressentir.

Hélène se lève.

— Merci de m'avoir parlé franchement. Faut que j'y aille.

— T'es pas choquée contre moi, là, hein ? demande Réjanne, un peu inquiète.

— Non, non. J'ai juste besoin de réfléchir.

— Faut recommencer nos lunchs. Ça fait longtemps, me semble.

— Promis !

Hélène fait un bisou de la main à Réjanne et s'éloigne en direction du palais de justice. Cette nouvelle information est loin de l'aider à voir clair.

Depuis la fois où ils ont fait l'amour, Arnaud l'évite. Léa en est certaine, maintenant. Il a toujours une bonne excuse : un travail d'équipe, un entraînement de football, une corvée familiale. Mais le temps passe et ils ne se voient plus. Il répond à ses textos de manière laconique. Au lunch, aujourd'hui, alors qu'elle s'approchait de sa table avec son plateau, il s'est levé et est parti avec ses amis. Il a fait mine d'être surpris, mais elle est certaine qu'il l'a vue s'approcher et qu'il a voulu l'éviter. Elle a mangé seule et a fait semblant d'avoir quelque chose dans l'œil pour cacher ses larmes de dépit. Elle a fait tout ce qu'il voulait, elle a menti pour lui, elle a couché avec lui et il la traite comme ça. C'est tellement injuste !

Elle attend, mine de rien, pas très loin des cases du cinquième secondaire. Quand elle le voit arriver avec sa petite gang habituelle, elle s'approche comme si elle passait là par hasard.

— Arnaud, attention, ta p'tite tache s'en vient, lance Arielle, une des filles du groupe toujours pressée de l'humilier.

Tout le monde autour rigole. Arnaud aussi.

— Va chier, rétorque Léa, pour se donner une contenance.

— Léa, langage ! réplique Arielle, sur un ton sévère, comme si elle était sa mère.

La gang rit de plus belle. Arnaud aussi, encore. Léa se sent rougir de rage. Impossible de contrôler ça. Elle a l'air d'une gamine. Elle prend tout son courage pour s'adresser à Arnaud.

— On peut-tu se parler?

— Là, là? demande Arnaud, contrarié.

Elle le prend par le bras et l'entraîne un peu à l'écart.

— Oui, maintenant, dit Léa d'un ton résolu.

— Je peux pas.

— Pourquoi?

— Ahhrrhhh, Léa, tu gosses, réplique Arnaud, agacé.

— On se voit pus.

— Ça adonne de même. J'ai plein d'affaires à faire.

Et voilà qu'Arielle arrive.

— On t'attend, Arnaud.

— Oui, bye, Léa.

Léa reste en plan et les regarde partir. Figée sur place, elle se demande comment sa vie a pu devenir aussi moche en si peu de temps.

❧

Christine est assise à son bureau et attend l'arrivée de Hugo. Maître Bouchard est au palais de justice pour quelques heures, c'est le moment parfait pour parler à son amant qu'elle n'a pas vu en privé depuis deux jours, en prétextant la présence de son fils à la maison. Christine a beaucoup réfléchi. Elle doit tout stopper avec Hugo avant qu'il soit trop tard pour elle, qu'elle soit trop accrochée et qu'il la laisse tomber. C'est écrit dans le ciel que, pour lui, c'est une passade, un coup de sang, une historiette qui ne durera pas. Après tout, qu'est-ce qu'un jeune homme comme lui, beau, intelligent, drôle et sensible ferait avec une femme comme elle à long terme? Rien. C'est une situation impossible, un cul-de-sac assuré. Elle préfère prendre les devants et mettre fin à cette aventure avant de subir un rejet. Juste d'y penser, elle en a les larmes aux yeux. Mais elle se secoue, se redresse et se parle. *Allez, Christine, tu sais que c'est préférable comme ça. Arrête de faire ta victime.* La porte du bureau s'ouvre et un immense bouquet de fleurs fait son apparition, suivi de Hugo.

— Est-ce que maître Bouchard est arrivée? demande Hugo d'un ton professionnel.

— Non, pas avant quelques heures, répond Christine de sa voix de parfaite adjointe.

Hugo, maintenant tout sourire, dépose les fleurs sur son bureau, fait le tour, prend Christine dans ses bras et l'embrasse. Cette dernière se laisse aller et profite pleinement de cet ultime baiser.

— Bonne journée, bella.

— Les fleurs sont magnifiques.

— Tu diras à Hélène que c'est ton nouvel amoureux qui te les a fait livrer.

— Oui.

Hugo se dirige vers son bureau.

— Hugo, il faudrait qu'on se parle.

— Oui? dit Hugo en revenant sur ses pas.

— Dans ton bureau, suggère Christine.

— OK, dit Hugo en ouvrant la porte de son bureau et en tendant le bras pour l'inviter à y entrer.

❧

Quand elle sort de l'école, ce soir-là, Léa aperçoit Arnaud qui attend l'autobus. Elle hésite un moment: elle n'a pas vraiment envie de se faire rejeter une fois de plus. Mais en même temps, il faut bien qu'ils parlent, non? Léa a besoin de savoir où ils en sont. Qu'est-ce qu'elle a fait pour mériter de se faire ignorer? Sont-ils encore ensemble? L'aime-t-il autant qu'elle l'aime? Elle court le rejoindre. En la voyant s'approcher, Arnaud lui sourit. Le cœur de Léa fait un bond. C'est bon signe, ça.

— Salut! dit Léa

— Allô.

— J'avais pas fini de te dire tantôt que j'aimerais ça qu'on se voie, juste nous deux.

— Ben oui.

— Maintenant? demande Léa, pleine d'espoir.

— Non, j'ai un souper de famille chez ma tante.

— Quand d'abord? demande Léa, certaine qu'il restera flou et que tout sera à recommencer.

— Demain?

— Ben oui! accepte-t-elle, ravie.

— Ma mère pis ma sœur seront pas là demain midi. Ça te tente-tu de venir chez nous?

— Ben oui.

— OK, je vais t'attendre à midi.

Il se penche et l'embrasse. Léa ferme les yeux. Puis l'autobus arrive et Arnaud disparaît. Ça va. Il l'aime encore. On n'embrasse pas les gens quand on ne les aime plus. Léa se sent plus légère soudainement. Demain, elle va le voir, lui parler, tout va se replacer.

Hugo est livide. Christine a de la difficulté à soutenir son regard tant il semble secoué et blessé.

— Je peux pas croire que tu veux qu'on se laisse.

Christine ne répond pas. Elle n'a pas la force de dire oui encore une fois.

— Fait que si je comprends bien, tu m'aimes pas, dit Hugo.

— Non, c'est pas ça.

— Je suis seulement un genre de *trip* pour toi, alors?

— Ben non!

Christine est épuisée. Ça fait une demi-heure qu'elle tente de lui expliquer, mais Hugo est tellement sous le choc qu'il comprend tout ce qu'elle dit de travers. Et franchement, elle est un peu surprise de sa résistance. Elle croyait qu'il protesterait un peu pour la forme mais que, dans le fond, il lui serait reconnaissant de faire le sale boulot à sa place. Sa réaction est tout à fait inattendue.

— Tu vas te tanner de moi et j'aime mieux arrêter ça tout de suite, dit Christine.

Hugo est bouche bée. Il comprend enfin ce qu'elle dit.

— Tu penses que je t'aime pas assez?

— Tu crois que tu m'aimes en ce moment, mais...

— Non! Stop! Où t'es allée chercher ça?

— Je le sais. C'est tout. Notre histoire se peut juste pas.

— Pourquoi?

— Regarde-nous, dit Christine.

— Pas encore notre âge?

— Ben oui. On s'en va dans un mur. Bientôt, tu vas te rendre compte que tu serais bien mieux avec une fille de ton âge, avec qui tu peux avoir des enfants...

— Je t'ai dit mille fois le contraire. Je veux pas d'enfants, je sais ça depuis des années. Pis j'en ai rien à foutre des filles de mon âge. Je veux rien savoir de TOUTES les autres femmes sur la planète. Je t'aime, Christine.

Impossible pour Christine de retenir ses larmes. Elle sent sa résolution vaciller.

— Je refuse que tu me laisses pour ça. C'est trop fou. Tu m'aimes, non? demande Hugo

— Tellement! lance Christine dans un souffle. Mais j'ai peur.

Hugo va vers elle, la prend dans ses bras et l'embrasse de nouveau.

— Fais-moi plus jamais une affaire comme ça, OK? lui murmure-t-il à l'oreille.

— Promis, lui jure-t-elle.

— T'as même pas idée de comment je me suis senti dans les dernières minutes.

— Je suis désolée, je pensais que tu serais soulagé...

Hugo secoue la tête en souriant.

— Veux-tu une preuve que je t'aime pour vrai ?

Ingrid entre dans sa chambre et se laisse tomber sur le lit, comblée par ce premier après-midi. Elle aurait aimé écrire pour se souvenir de tout ce qu'elle a entendu, mais Solange Rivière interdit la prise de notes. Elle ne veut pas donner ses conférences à des têtes penchées sur des cahiers et, selon elle, ce qui nous touche vraiment, ce qu'on doit retenir, on le retient. Ingrid a la tête pleine de nouvelles idées, de nouveaux concepts. Elle regarde l'heure : il ne lui reste que quarante-cinq minutes pour se doucher, se changer et descendre pour le souper. Le week-end est réglé au quart de tour, il n'y a que très peu de temps pour se reposer. Après la douche, elle se maquille légèrement, choisit une robe en lainage fin et des souliers à talons plats, puis elle sort pour rejoindre le groupe dans la grande salle à manger. Elle se rend compte qu'elle n'a même pas regardé si elle avait des messages sur son cellulaire.

Quatre tables de cinq personnes sont installées dans la grande salle à manger de la grande auberge. Ingrid s'assoit là où quatre personnes sont déjà assises. Tout le monde est ouvert et accueillant après ces premières heures. La conversation s'engage aussitôt. Une dizaine de minutes plus tard, tous sont arrivés et Solange se joint à eux pour souhaiter bon appétit à tous, pour rappeler qu'il n'y aura pas d'alcool servi ce soir, qu'ici on ne parle pas de notre travail, de nos revenus, de notre place dans la société. Sur un écran de télé apparaissent une série de questions et de thèmes à aborder avec les voisins de table durant le repas. Solange rappelle de ne pas intervenir quand quelqu'un parle. Ça force l'écoute de tous et ça évite les dérapages. Ingrid est assise entre Nicole, une femme rigolote d'une soixantaine d'années, et Patrick (ici, on ne donne pas non plus nos noms de famille) qu'elle a connu lors de la première conférence. La conversation est animée grâce aux thèmes proposés. Nicole livre un témoignage touchant quand elle parle du décès de son mari, son grand amour, il y a deux ans. Elle parle de cet homme avec lequel elle a vécu pendant quarante ans avec passion… Ingrid se dit qu'elle souhaite rester aussi longtemps avec Olivier pour pouvoir l'aimer autant, le connaître aussi profondément. Le thème « Ton plus grand regret » fait monter des larmes aux yeux d'Ingrid. Elle n'a encore parlé à personne d'autre qu'Olivier de sa décision de ne pas être mère. Elle, si discrète d'habitude sur sa vie privée, saisit l'occasion, elle sent qu'elle peut s'ouvrir sans danger à ces gens. Et, en effet, tous l'écoutent avec compassion, personne ne donne de conseils. Elle peut enfin dire tout ce qu'elle a ressenti après ses deux fausses couches. Elle a l'impression de déposer cet horrible fardeau pour la première fois.

Comme la plupart des participants, elle est au lit à 21 h 30, épuisée, mais heureuse et plus légère. Demain samedi, la journée sera chargée. Elle a déjà hâte.

Léa s'est habillée avec soin pour aller voir Arnaud chez lui. Pas question de porter ces vêtements que sa mère lui a achetés récemment et qui lui donnent l'allure d'une enfant. Elle veut avoir l'air d'une jeune adulte. Elle ne l'avouerait jamais à personne, mais elle tente souvent d'imiter le style d'Arielle qui est méchante, mais qui a un « look », *un petit quelque chose de très cool*. Elle se sent en force avec ce jeans, son t-shirt blanc à manches longues et sa veste kaki. Elle a emprunté les boucles d'oreilles en argent de sa mère. Heureusement, elle n'a pas eu à lui mentir sur son emploi du temps, car Martine est partie travailler avant son réveil. En marchant entre chez elle et chez Arnaud, elle se demande ce qu'elle va faire s'il veut encore faire l'amour. Ça lui tente moyennement. *Mais tu vas dire oui, Léa, espèce de nounoune. Si tu veux être sa blonde, faut que tu aies l'air mature.* Elle sonne en se composant un sourire qu'elle souhaite sensuel. La porte s'ouvre.

— Léa!? Allô, ma belle, dit la mère d'Arnaud.

— Bonjour, Isabelle, répond machinalement Léa.

— Qu'est-ce qui t'amène?

Mais qu'est ce qu'elle fait là, celle-là? Improvise, Léa, ça presse.

— J'ai croisé Arnaud à l'école hier et il m'a dit qu'il pourrait me passer un livre pour le cours d'histoire. Est-ce que je peux lui parler?

— Arnaud est chez un ami pour la fin de semaine.

— Ah oui? répond Léa, sentant son sourire craquer. Il revient quand?

— Dimanche soir. Je vais lui dire de l'apporter à l'école pour toi, d'accord?

— Oui, oui, c'est pas ben grave. J'en ai pas besoin tout de suite.

— Bye, ma belle Léa.

— Bye, Isabelle.

La porte se referme et Léa reprend sa marche en sens contraire. De deux choses l'une: ou bien il a oublié qu'il passait le week-end chez un ami ou bien il lui a posé un lapin. Elle n'est même pas encore rendue chez elle qu'elle se rend à l'évidence: Arnaud lui a donné ce rendez-vous pour se débarrasser d'elle. Elle entre et claque la porte de toutes ses forces. Il la prend vraiment pour une conne. Elle va dans sa chambre et claque cette porte-là aussi. Le cadre accroché sur le mur près de la porte – une photo d'elle enfant sur le dos d'un dromadaire – tombe sur le sol et se casse en mille miettes. Elle s'en fout. Elle attrape son téléphone dans sa poche, prend quelques instants pour composer un texto qu'elle veut ravageur.

> Si tu penses que tu peux me traiter comme ça! J'ai peut-être pas 17 ans, mais je suis pas conne. Je suis capable de te niaiser, moi aussi. Attends de voir.

Elle appuie sur «envoyer» et se laisse tomber sur le lit en criant dans la chambre vide.

— Va chier Arnaud Langlois-Tremblay!!

Une toute nouvelle façon de voir les choses et d'aborder la vie s'est ouverte pour Ingrid ce samedi-là. Il y a eu une conférence le matin « Je dessine ce que je décide sur la page blanche de ma vie », un lunch rapide le midi, une autre conférence l'après-midi « Être heureux ou avoir raison ? » et un atelier. À chaque minute, Ingrid a eu l'impression d'apprendre quelque chose. En se préparant pour le repas du soir, elle se sent euphorique. Elle a l'impression que sa vie peut prendre la route qu'elle souhaite, qu'elle est maîtresse de sa destinée. Que ça fait du bien de sentir cette puissance intérieure alors qu'elle a eu l'impression d'être bardassée par les événements depuis des mois. Le repas du soir a lieu dans la grande véranda. Une belle pièce, des murs de bois éclairés par des dizaines de guirlandes de petites lumières blanches qui créent une atmosphère *cozy* et magique. Et pourtant rien de riche ou d'ostentatoire, deux vieilles tables de bois pouvant accueillir une dizaine de personnes chacune, des chaises dépareillées, des chemins de table en coton blanc et des fleurs des champs partout. Cette fois, la vingtaine de participants ne s'assoit pas au hasard comme pour les autres repas. Ingrid cherche son nom sur les petits cartons déposés devant chaque assiette. Elle trouve enfin et est contente de constater que le hasard l'a placée une fois de plus à côté de Patrick. Il est déjà assis, en conversation avec son voisin d'en face. Ingrid se joint à eux et la discussion se poursuit avec elle tout naturellement. En attendant que le repas soit servi, Solange circule derrière eux et s'entretient avec tous les participants. Elle sait pourquoi chacun a décidé de faire ce week-end grâce au questionnaire qu'ils ont tous rempli au moment de leur inscription. Elle aborde chaque personne délicatement et avec pertinence. La psy arrive enfin à Ingrid.

— Alors, est-ce que ça a commencé à s'éclairer pour toi ?

— Oh oui ! répond Ingrid avec enthousiasme. C'est incroyable tout ce que j'apprends depuis que je suis arrivée ici.

— Il y a quelque chose à apprendre sur tous les coups durs qu'on reçoit, tu sais ça, hein ?

— Oui. Je savais juste pas par quel bout prendre ça. Là, ça se dessine tranquillement.

La conversation se poursuit quelques minutes encore. Ingrid a l'impression de connaître Solange depuis toujours. Elle admire son aisance, son calme. Quand la psy va vers Patrick, Ingrid l'observe encore un moment et se dit qu'elle aimerait bien dégager cette assurance et être aussi « groundée » que Solange Rivière.

Hélène est allée souper et passer son samedi soir chez Gabriel. Comme un présage de la soirée, Gabriel, qui est un cuisinier exceptionnel, a raté son repas. Enfin, pas complètement, comme s'empresse de lui dire Hélène, mais c'est vrai que c'est fade, que ça manque de goût et que ça ne ressemble pas aux repas qu'il lui sert d'habitude. Hélène se dit que Gabriel est un peu comme ce repas depuis l'accusation de Léa : éteint, sans piquant. Puis elle regrette aussitôt d'avoir pensé ça. Oh, elle compatit, mais elle est bien obligée de s'avouer que rien n'est plus pareil maintenant. Elle s'était promis de lui parler de l'histoire que Réjanne lui a racontée au sujet de la fillette, mais elle renonce, incapable d'ajouter au fardeau de Gabriel. D'autant plus qu'ils ont mis une croix sur leur voyage au soleil. Plus tard, alors qu'ils écoutent un film, elle tente de lui faire des avances, mais sur ce plan-là également Gabriel n'est plus le même. Bien sûr qu'elle ne prend pas ça personnellement, qu'elle comprend que le fait d'être accusé d'agression sexuelle sur sa fille a un effet inhibant, mais elle ne pensait pas que leur vie sexuelle disparaîtrait complètement. Gabriel n'a plus d'élan vers elle, plus de désir même peut-être. La petite voix désagréable qui s'est insinuée en elle récemment se demande si Gabriel est comme ça parce qu'il est accablé par les fausses accusations ou parce qu'il est coupable. Prétextant un dimanche de travail au bureau, Hélène part tout de suite après le film et Gabriel ne la retient pas.

La conversation avec Patrick est passionnante. Très peu d'alcool est servi à ce repas, mais Ingrid se sent tout de même un peu enivrée par tout ce qu'elle vit depuis deux jours et par ses échanges avec lui. Tour à tour, ils se racontent leur vie. Patrick a une écoute exceptionnelle et Ingrid se sent tellement à l'aise avec lui. En comparaison, sa vie à elle semble tellement sage et prévisible. Mais il n'est pas de cet avis. Il est intéressé par son point de vue, il est sans jugement même si sa vie à lui est mille fois plus passionnante. Il a voyagé un an en Europe avec un sac à dos au début de sa vingtaine. Puis il s'est formé en reiki, en naturopathie et en massothérapie. Il a ensuite voyagé en Asie. Non il n'a pas de femme ni d'enfants et ne souhaite ni l'un ni l'autre. Il veut rester totalement libre pour avoir le loisir de tout changer du jour au lendemain. Patrick a maintes fois tout arrêté pour vivre quelque chose de différent qui l'appelait ailleurs. Ingrid admire ça, elle qui a tellement besoin de planifier, de prévoir l'avenir. Elle envie cette facilité que Patrick a de façonner sa vie à sa guise. Elle se dit que ce n'est pas un hasard si elle passe autant de temps avec lui ce week-end. Elle a quelque chose à apprendre de ça. Elle pourrait être moins rigide, plus ouverte et éveillée aux occasions qui se présentent. Elle réalise qu'elle a les yeux tellement rivés sur le futur, qu'elle oublie de regarder ce qui s'offre à elle au présent. Le repas est terminé depuis longtemps et il ne reste que quelques personnes dans la véranda. Dans leur bulle, Ingrid et Patrick discutent encore, caressés par la légère brise de mai qui entre par les fenêtres ouvertes.

Depuis qu'elle a envoyé son texto rageur, Léa regarde son téléphone toutes les minutes, en attente d'une réaction d'Arnaud. Elle ne peut pas croire qu'il ne daigne même pas répondre. Elle n'a pas déragé de la journée. Au souper, sa mère voulait parler des accusations contre son père, mais elle n'a tellement pas la tête à ça. Elle l'a rabrouée et est venue s'enfermer dans sa chambre. Pour l'instant, toutes ses pensées et toute son énergie sont occupées à chercher une manière de faire aussi mal à Arnaud qu'il lui a fait mal.

En sortant de la chambre de Patrick pour retourner discrètement dans la sienne, Ingrid reprend contact avec la réalité. Elle regarde son téléphone : 4 h 10 du matin et deux appels manqués d'Olivier. Elle entre dans sa chambre et s'assoit sur le lit, catastrophée. Elle a couché avec Patrick parce que tout à coup elle s'est sentie libre de faire ce qui lui tentait dans le moment présent. Elle a trompé Olivier. *Mais qu'est-ce que j'ai fait là…*

CHAPITRE 11

Ingrid regarde son téléphone et n'ose pas ouvrir ce texto reçu de Patrick. Ça fait des jours qu'elle vit avec son secret et sa culpabilité. Elle se sent d'autant plus mal qu'Olivier a été super accueillant et vraiment intéressé par ce qu'elle lui a raconté de son week-end. Cette nuit avec Patrick a mis un nuage gris sur cette fabuleuse fin de semaine. *Il va bien falloir que tu le lises, ce texto.* Elle prend son cellulaire, l'ouvre et retient presque son souffle en commençant à lire.

> Un mot pour te dire que je quitte le Québec dans quelques jours et que je vais m'installer pour six mois en Uruguay. Je vais apprendre la forge avec cet ami rencontré en Équateur. Cool, hein? Je vais garder un merveilleux souvenir de toi. Je te souhaite une vie douce et belle avec ton amoureux.

Ingrid soupire de soulagement. Fiou, il ne veut pas la revoir. Elle répond aussitôt.

> Très cool! Je suis très heureuse pour toi.
> Bonne vie à toi aussi!

Pourquoi a-t-elle pensé que Patrick la relancerait, d'ailleurs? C'est un homme qui vit les choses qui se présentent, mais qui ne s'accroche à rien. C'est ça qui l'a séduite chez lui. Cela dit, le fait qu'il parte à l'étranger, bien que ça la calme, n'efface en rien sa nuit avec lui. Toutes ces notions formidables qu'elle a apprises sont passées en arrière-plan tellement elle est obsédée par cette histoire. Ça fait deux fois qu'elle appelle sa mère pour se confier, mais Julie n'est jamais disponible pour une rencontre. Elle n'est quand même pas pour lui dire ça au téléphone. Une chance qu'elle a eu ce gros contrat de trois pubs pour une entreprise de Cowansville, le lendemain de son retour, ça lui évite de penser constamment à sa trahison. Ça fait deux fois qu'elle trompe Olivier. La première fois, avec Théo, il y a plusieurs années, elle en avait payé le prix. Elle avait même failli perdre son homme. Olivier a pardonné une fois, il ne pardonnera pas deux fois.

Ça fait quelques semaines qu'Hélène n'a pas vu Gabriel. Ils ne se sont parlé qu'au téléphone et Hélène tourne et retourne tout ce qu'elle a vécu avec lui depuis les débuts, à la recherche d'indices qui l'innocenteraient à ses yeux ou, pire, qui l'incrimineraient. La seule chose qu'elle peut vraiment lui reprocher, c'est de ne pas avoir de ligne claire dans sa relation avec Léa. Il la traite tantôt en enfant, tantôt en adulte. C'est agaçant pour Hélène et ça doit être un peu déstabilisant pour l'adolescente. Hélène doit admettre qu'à aucun moment elle n'a eu de signe qu'il y avait quelque chose de pas net entre Gabriel et sa fille. Bien sûr, il s'est confié à sa fille beaucoup trop vite sur sa relation avec Hélène, la traitant comme une amie plutôt que comme une ado de treize ans. Ça arrive souvent aux parents monoparentaux. Elle a vu ça cent fois dans sa pratique. Il lui a bien raconté un truc qu'elle a trouvé un peu étrange sur le coup… Quand Léa a eu ses premières règles, Gabriel, un peu déstabilisé, lui a offert une rose pour marquer ce moment où elle devenait une femme. Gabriel a bien remarqué l'air d'Hélène quand il a raconté ça. Une rose pour «célébrer» les premières menstruations? Un peu bizarre, quand même. Gabriel s'est expliqué en disant qu'il était très mal à l'aise, qu'il ne voulait pas appeler Martine à la rescousse et que c'est la première chose qui lui était passée par la tête. Ça ne prouve pas qu'il soit coupable d'abus sexuel, ça. Seulement qu'il est maladroit.

Martine n'arrive pas à se faire à l'idée que Gabriel ait pu abuser de leur fille. Et chaque fois qu'elle pense à ça, elle se sent une horrible personne. Combien de fois a-t-on vu des mères jurant n'avoir rien vu? Et Martine se disait tout le temps: «C'est parce que tu n'as pas voulu voir!» Et voilà que la vie la place exactement dans cette situation.

Ce soir, elle est encore sur le Web, maintenant que Léa est couchée, à tenter de voir si Gabriel répond aux critères classiques des abuseurs. Non, rien de ce qu'elle lit ne s'applique à lui. Elle a beau se creuser la tête, rien de leur passé ne lui revient en mémoire pour confirmer les dires de Léa. Elle se souvient de choses qui semblent, au contraire, contredire les accusations: le jour où il a décrété qu'elle était trop vieille pour prendre son bain avec lui, même si elle trouvait que c'était tôt, ou encore son malaise quand il avait vu un ami embrasser sa fille de quatre ans sur la bouche. Ils avaient eu cette discussion sur ce genre de marques d'affection, s'étaient entendus que c'était davantage l'expression d'une intimité amoureuse et avaient convenu qu'ils n'embrasseraient jamais leur fille ainsi. Un homme qui a ces préoccupations ne peut pas être abuseur. Ou alors il a peut-être été très habile pour cacher sa déviance. Martine ne sait plus. La seule évidence à ce stade-ci, c'est qu'elle est terriblement angoissée. Et Léa qui ne veut plus en parler, qui ne semble pas se rendre compte à quel point ses accusations ont eu l'effet d'une bombe dans la vie de ses parents. Elles ont eu cette prise de bec, l'autre jour.

— Je suis pas juste une victime d'agression, tsé! Dès que je commence à l'oublier un peu, toi, tu me remets dedans! avait lancé Léa avant de s'enfermer dans sa chambre.

Jamais Martine ne s'est sentie aussi inadéquate. Quoi qu'elle fasse, elle a l'impression d'empirer la situation. La vie de sa fille risque d'être détruite à jamais. Elle a lu plusieurs articles sur les effets atroces des abus...

Deux heures du matin. Martine pose son ordinateur sur sa table de chevet et ferme la lumière. Elle va encore passer la journée à se traîner, demain. Et Xavier, le patron, qui est toujours à cran quand on arrive en retard...

À peine Hélène est-elle entrée dans le bureau que Christine la suit.

— Christine, je cherche mon écharpe Louis Vuitton. Tu l'aurais pas vue?

— Non, vous me l'avez déjà demandé, j'ai regardé partout. Elle est pas ici.

— Je peux pas croire que je l'ai perdue...

— Maître Bouchard, j'aimerais prendre quelques jours de vacances, annonce Christine.

— Ah bon? répond Hélène, un peu étonnée.

Christine ne l'a pas habituée à ce genre de demandes. Elle prend un mois chaque été et deux semaines aux Fêtes et semblait, jusqu'ici, très satisfaite de cet arrangement. Elle sait que sa patronne peut difficilement se passer d'elle.

— Rien de grave? reprend Hélène.

— Oh non! la rassure Christine, rougissante.

Hélène se souvient de sa conversation avec Hugo et examine son adjointe. *Il a raison ma parole, Christine est en amour.*

— Toi, tu me caches quelque chose, dit Hélène en souriant.

— Pourquoi vous dites ça? répond Christine sur la défensive.

— Nouveaux vêtements, nouvelles coiffures, erreurs de distraction. J'ai devant moi une femme amoureuse, pas vrai?

— Oui, dit Christine dans un souffle, en baissant les yeux.

— Je suis très heureuse pour toi.

— Et moi donc!

— Et ces quelques jours, c'est pour partir avec ton amoureux?

— Oui.

Hélène accepte avec plaisir. Soulagée, Christine lui précise les dates et lui dit qu'elle préparera tous les dossiers avant de partir. Hélène consulte son agenda.

— C'est en même temps que la conférence de maître Daoust à Las Vegas.

— Oui, j'ai vu. Ça pose problème?

— Je vais être seule dans le bureau, constate Hélène.

— Ça vous gêne? Oh, j'espère que non parce que je ne peux pas déplacer mes dates, tout est déjà réservé.

— C'est mieux que tu me parles avant de *booker* tes vacances.

— Oh, mon doux, je le sais. C'est mon chum qui a fait ça sans m'en parler. Une surprise.

— Hum… Bon, OK. Je suis une grande fille, je vais pouvoir me débrouiller cinq jours.

— Je veux pas vous laisser toute seule. J'ai pensé que vous pourriez embaucher quelqu'un pour les appels et les rendez-vous.

— Bonne idée.

— Je m'occupe de tout, dit Christine en se levant.

— Christine? Est-ce que je le connais?

— Qui?

— Ben ton amoureux, c't'affaire.

— Ah non! Pas du tout, répond Christine en rougissant de plus belle.

— Tu devrais me le présenter.

— Euh… ben oui. Sûrement.

Christine sort. *Voilà au moins quelqu'un qui nage dans le bonheur,* pense Hélène.

Gabriel sonne à sa porte à 19 h précises. Hélène lui ouvre et remarque que les cernes sous ses yeux se sont encore accentués. Ils s'embrassent un peu maladroitement.

— Je resterai pas longtemps, lance Gabriel à peine assis.

— Tu veux boire quelque chose ?

— Non merci.

Gabriel plonge immédiatement dans le vif du sujet.

— Les résultats des tests ADN sont revenus. Négatifs évidemment.

— Tu dois être soulagé.

— Non, pourquoi ?

— Ben euh…

— J'avais aucun doute sur le résultat. Je le sais que j'ai pas agressé ma fille.

— Ben oui, c'est vrai. Excuse-moi, bafouille Hélène.

— Mais le cauchemar continue. Le test est négatif, mais ça veut pas dire que je suis innocenté. Ils ont pas cette preuve-là, mais il y a encore les accusations et le témoignage de Léa.

Gabriel penche la tête comme pour rassembler son courage.

— Hélène, ma vie est un enfer. Je risque un procès et la prison pour des actes que j'ai pas commis.

— Je sais. C'est terrible.

— Et j'arrête pas de me demander pourquoi Léa a fait ça. Si je pouvais la voir, je finirais par le savoir, mais j'ai même pas accès à elle…

— Oh, Gabriel… dit Hélène en lui touchant le bras, compatissante.

— Notre histoire avait si bien commencé… et aussi difficile que ce soit pour moi, je dois arrêter ça, nous, notre relation…

— Hein ? demande Hélène, hésitant entre le soulagement et le chagrin.

— Oui, oui. Si tu préfères, on peut se dire qu'on prend une pause. Je peux pas t'entraîner dans ce tourbillon-là avec moi. C'est pas juste.

— Oui, mais…

— Non, Hélène, je veux pas en discuter, parce que tu finirais peut-être par me convaincre de pas le faire. Ma décision est prise. La dernière chose que je souhaite, c'est que tu sois coincée dans cette histoire sordide avec moi. Tu mérites pas ça.

Gabriel secoue la tête, visiblement accablé.

— Je t'aime Hélène. Je suis pas capable de te faire vivre ça. Comprends-moi, d'accord?

Gabriel se lève et, le temps pour Hélène de revenir du choc, il est déjà parti. Elle a le réflexe de vouloir prendre Suzanne contre elle, mais la petite chatte n'est jamais revenue. Hélène se pelotonne sur le divan et laisse couler les larmes qu'elle retient depuis trop longtemps.

— Oui, maman, j'ai compris! Le test ADN est négatif. Pis? crie presque Léa, excédée, en marchant à grands pas vers sa chambre.

— Arrête de tout le temps t'en aller. Je veux discuter de ça.

— Pas moi.

Léa entre dans sa chambre, claque la porte et tire le verrou.

— Léa, débarre cette porte, ordonne Martine en s'exhortant au calme.

— Non, laisse-moi tranquille.

— Léa!

Martine se demande pourquoi elle a accepté de faire installer un verrou intérieur dans la chambre de sa fille. Quand Léa lui avait demandé ça plusieurs mois auparavant, prétextant son intimité, cela lui avait semblé légitime, voire anodin. Aujourd'hui, elle s'en mord les doigts.

— Léa, si tu n'ouvres pas cette porte immédiatement, il va y avoir une conséquence.

— Laquelle ? Tu vas m'envoyer réfléchir dans ma chambre ?

Martine soupire, vraiment exaspérée.

— OK, Léa, moi aussi, je suis capable de jouer à ce petit jeu-là, dit Martine, dans une pathétique tentative d'avoir le dernier mot.

— Je joue pas, tu sauras.

Martine retourne à la cuisine. Quand a-t-elle perdu le contrôle sur sa fille ? Tout va tellement mal. Elle ne sait plus comment la prendre, elle ne sait plus quoi faire avec ces accusations. Elle n'a personne à qui parler. Elle ne peut décemment pas faire appel à Gabriel, dans les circonstances actuelles, comme elle l'a si souvent fait dans le passé. Et voilà qu'elle sent un mal de tête qui se pointe. *Oh, mon doux, faites que ça arrête.*

La nouvelle bonne entente entre Suzie et Olivier est scellée par une invitation à souper. Ça fait un bail qu'Olivier n'est pas allé chez son ami. Les querelles constantes avec Suzie ont espacé puis fait disparaître leurs soirées de gars. Théo les accueille avec un *drink* qu'un client lui a fait connaître.

— Une once et demie de whisky Jameson, une demi-lime fraîchement pressée, du *ginger beer* pis ben de la glace ! Vous m'en direz des nouvelles.

— On dirait pas que c'est moi, l'ex-barmaid, hein ? lance Suzie.

— C'est de l'histoire ancienne, ça, rétorque Théo.

— Hey, ça fait super longtemps qu'on n'a pas fait un souper à quatre ! dit Olivier.

— C'est vrai, répond Ingrid. Suzie, je t'ai pas vue depuis des mois.

— On est ben ben contents que vous soyez là, dit Théo avec une pointe d'émotion dans la voix.

Puis pour se donner une contenance :

— J'espère que vous avez faim, on en a fait pour une armée.

La nervosité de se retrouver après les quelques querelles entre Suzie et Olivier disparaît rapidement pour laisser place aux rires. Théo et Olivier, amis depuis l'enfance, se remémorent plein de souvenirs. On évoque même Lambert, le frère d'Ingrid et le meilleur ami d'Olivier, mort en 2008. Un ange passe, ils ont eu l'impression que Lambert était parmi eux pendant un moment.

Quand Théo et Suzie commencent le service du souper, tout le monde est parfaitement détendu. Olivier ouvre une première bouteille de vin quand les cellulaires des deux hommes se mettent à sonner en même temps. Ils se regardent.

— C'est pas bon signe, ça, dit Olivier juste avant de prendre l'appel pendant que Théo prend aussi le sien.

Les deux gars discutent, l'air préoccupé, et raccrochent après avoir lancé un « OK, j'arrive » à leur interlocuteur. Ils se tournent vers leur blonde. Les deux femmes comprennent aussitôt.

— Ah non, faut pas que vous partiez, dit Ingrid, débinée.

— *Fuck*, les gars. Si on remet la pintade au four, elle sera plus mangeable.

— On a pas le choix. Ça se passe mal au gros party de l'association des commerçants. Y a de l'équipement qui a pas été livré, pis deux de nos gars se sont pas pointés, explique Théo.

— Pis les clients commencent à grogner, complète Oli.

— Combien de temps ça va prendre ? On peut attendre un peu, quand même.

Les deux gars échangent un regard. Suzie a compris.

— On va manger toutes seules, Ingrid. Ils sont partis pour la soirée.

— Pour vrai ?

— Pas le choix, disent Olivier et Théo en chœur.

— Tant pis, dit Suzie en se tournant vers Ingrid. On va se faire un beau souper de filles, nous deux.

Comme toujours lorsqu'elle est troublée, Hélène va monter Helios. Elle fait trotter son cheval jusqu'au sentier qu'elle aime tant pour sa tranquillité et sa beauté. La rupture – il faut bien appeler ça ainsi – ne lui fait aucun bien. Elle doit avouer qu'elle se sent soulagée, oui, mais pas en paix. Depuis des jours, elle essaie de se raisonner : *c'est mieux comme ça.* Rien n'y fait. Hélène ne pense pas moins à Gabriel. C'est même pire. En plus, elle n'est pas très fière d'elle. Elle a un peu honte d'être si peu solidaire de l'homme qu'elle aime. Parce que ça ne fait plus aucun doute pour elle : elle aime cet homme profondément. En même temps, il ne veut pas d'elle dans sa vie pendant qu'il traverse cette tempête. Elle pousse sa monture au galop dans le vain espoir d'occuper ses pensées avec autre chose que Gabriel.

Au début de la relation entre Suzie et Théo, il y a deux ans, Ingrid et Suzie n'ont pas sympathisé spontanément. Elles se voyaient parce que leurs chums étaient amis et associés, mais jamais toutes seules. Ce soir est une première. Les appréhensions d'Ingrid à rester en duo avec la blonde de Théo se sont vite dissipées. Les deux filles passent finalement une soirée très agréable. Le vin aidant, elles en sont même venues aux confidences. Suzie raconte la période où elle voyait Théo pendant que celui-ci était en couple avec son ex, Victoria.

— … je le savais que c'était poche, je me sentais super mal. Pas seulement avec Victoria quand je la croisais, mais aussi envers moi. Je suis *wild* sur ben des affaires, mais là-dessus je suis super *straight*.

— Pourquoi tu le faisais alors ? demande Ingrid.

— Je le savais que Théo c'était l'homme de ma vie. Je le savais dans mes tripes.

— Pis t'avais raison.

— Ouaip, dit Suzie fièrement en prenant une gorgée de vin.

Et là, sans comprendre pourquoi, sans réfléchir, comme un besoin de parler à quelqu'un et comme si elle savait d'avance que Suzie allait la comprendre, Ingrid se lance.

— J'ai trompé Olivier.

— Ouain, Théo m'a raconté votre *fling* dans le temps…

— Non, non, récemment.

Suzie se redresse.

— Pour vrai?

— Ouain. Pendant la fin de semaine de ressourcement dont je t'ai parlé tantôt. Te dire comment je suis pas fière de moi.

— *Fuck*.

— Oui.

Les deux filles restent un moment silencieuses.

— Faque… tu te sens comment?

— Comme une merde, rétorque Ingrid.

— C'est sûr.

Ingrid est reconnaissante à Suzie de ne pas tenter de minimiser son geste.

— Je sais pas quoi faire, avoue Ingrid, torturée.

— C'est quoi tes choix? demande Suzie.

— Me taire pour toujours ou le dire à Olivier. Pis si je le dis, c'est fini entre nous, c'est sûr.

— Pourquoi t'as fait ça?

Ingrid reste coite un moment. Bonne question. Elle ne se l'est même pas posée.

— Je sais pas trop.

— C'est sûr qu'il y a une raison.

Ingrid réfléchit encore.

— Le gars en question est super libre, il a aucune attache, il a pas de maison, pas de blonde, pas d'enfants, même pas d'auto. Le contraire de moi. Le contraire de ce que je veux dans la vie aussi. Ça m'a donné un maudit coup, ma deuxième fausse couche. Assez pour plus jamais vouloir essayer d'avoir un enfant. Méchant deuil à faire... On dirait que j'avais besoin de toucher à cette insouciance-là, de me faire croire que je pouvais être libre, moi aussi.

— T'as l'air fin, là. T'es pas trop libre, hein?

— Me suis pas sentie pognée de même depuis ben longtemps.

Suzie a ouvert une autre bouteille et verse du vin dans le verre d'Ingrid.

— Tu vas le revoir, le gars?

— Jamais dans cent ans! Pis même si je voulais, il part pour l'Uruguay pour je sais pas combien de temps.

— Bon. Pis par rapport à Olivier?

— C'est mon homme.

— Tu veux pas le laisser?

— Tellement pas.

— Ben dans ce cas-là, conseil d'amie: ferme-la pis garde ton histoire d'un soir pour toi.

— Tu penses?

— 100% certaine.

— Tu trouves pas que ça manque d'honnêteté.

— Moi, je pense que c'est ta gaffe, ton fardeau, faque tu t'arranges toute seule avec. T'as pas à lui faire porter ça.

❧

Hélène se démaquille. Elle se regarde dans le miroir. Toutes ses pensées reviennent vers Gabriel qu'elle considère avoir abandonné le soir où il est venu rompre avec elle. Jamais elle n'a eu d'histoires d'amour faciles et en ligne droite. Pourquoi ça ferait exception avec lui? *Et s'il a vraiment abusé de sa fille?* Elle n'arrive pas à y croire. Et si, comme elle le pense, c'est une fabulation de Léa, jamais elle ne pourra retourner avec un homme qu'elle a laissé tomber dans le pire moment de sa vie. Lui-même aurait des réticences, elle en est certaine. *Dors là-dessus,* se dit-elle. Pour prendre une décision, faire un choix, une nuit de sommeil, c'est magique. Hélène se glisse sous les couvertures, confiante que le lendemain matin lui donnera sa réponse.

Au même moment, Ingrid entre également dans son lit et se colle sur son homme. Celui-ci la serre contre lui.

— Bonne nuit, ma belle blonde.

— Bonne nuit, mon chum d'amour.

Quelques minutes plus tard, Olivier dort, Ingrid le sent à sa respiration. Elle repense à sa conversation avec Suzie. Incroyable qu'elle se soit confiée à cette fille qu'elle connaît très peu. En même temps, la vie est bien faite : Suzie lui a donné un bon conseil. Cette histoire avec Patrick ne voulait rien dire. Pourquoi mettre son couple en danger pour une chose qui n'a aucune incidence ? *Je vais avoir ça sur la conscience, mais c'est mon problème, comme dit Suzie.* Cette décision prise, Ingrid s'endort en paix.

En ouvrant les yeux, Hélène sourit : c'est vrai que la nuit porte conseil. Elle se lève et sait exactement ce qu'elle va faire aujourd'hui.

CHAPITRE 12

Lovée dans les bras de Gabriel après avoir fait l'amour, Hélène se sent bien. Autant qu'on peut l'être dans les circonstances en tout cas. Quand elle est arrivée chez Gabriel pour lui expliquer que la pause dans leur relation était inutilement souffrante, Gabriel l'avait d'abord repoussée.

— Non, Hélène, je te l'ai dit, si tu viens essayer de me convaincre…

— C'est exactement ce que je vais faire! C'est pour me protéger de tout ça, n'est-ce pas, que tu ne veux plus qu'on se voie? Il n'y a pas d'autre raison?

— Quelle autre raison voudrais-tu qu'il y ait? Je t'aime et je ne veux pas…

— Oui, l'avait coupé Hélène, je sais, tu l'as déjà dit. Mais c'est pas de protection dont j'ai besoin. Je suis une grande fille, tu sais…

— Oui, mais…

— Tut, tut! Laisse-moi finir. Ce que je veux, c'est toi. Que ça aille bien, que ça aille mal, je veux être avec toi. Je ne pourrais jamais me pardonner de t'avoir laissé seul en ce moment. Tu comprends ça?

Les yeux de Gabriel s'étaient remplis de larmes.

— Je le savais que si je te laissais me parler, tu réussirais à…

Hélène l'avait fait taire d'un baiser.

C'est la deuxième fois que Léa achète un test de grossesse. Elle a complètement raté son coup avec le premier tellement elle était stressée. Elle a choisi une autre pharmacie, encore plus loin de chez elle pour éviter de rencontrer quelqu'un qu'elle connaît. Elle a mis d'autres articles, bon marché, dans son panier pour que la boîte passe inaperçue. La caissière passe ses achats sur le scanner et ne sourcille pas à la vue du test. Léa paie avec une poignée de monnaie, les yeux baissés. La maudite caissière prend un temps fou à tout compter. Puis Léa attrape son sac et part en vitesse. Elle doit maintenant attendre au lendemain matin pour faire le test. Elle *ca-po-te*! Elle ne peut pas être enceinte, impossible. Elle se répète ce mot comme un bouclier invisible: *impossible, impossible, impossible…*

Six heures du matin. Léa s'est enfermée dans la salle de bains pour faire son deuxième test de grossesse. Cette fois, elle a lu toutes les instructions en se reprochant de ne pas l'avoir fait au premier essai. Pas évident de faire pipi sur ce petit bâton. Et là, elle attend. Les deux plus longues minutes de sa vie. Léa met la main sur sa bouche pour s'empêcher de crier. Deux lignes bleues. Elle ne peut pas être enceinte!!! C'est la panique complète. Elle tente de se ressaisir, mais n'y arrive pas.

— Léa! Sors, s'il te plaît, je dois aller à la toilette, dit sa mère derrière la porte.

— Oui, une minute.

Léa cache le test dans la poche de son pyjama, tire la chasse d'eau et se passe une débarbouillette dans le visage.

— Léa! répète sa mère impatiente.

— Oui, oui…

Léa ouvre la porte, sort et se dirige vers sa chambre sans un regard pour Martine.

— Ça va, cocotte?

— Ben oui, pourquoi ça irait pas? rétorque Léa, revêche.

Martine entre dans la salle de bains en soupirant pendant que Léa s'enferme dans sa chambre. Elle regarde le test une autre fois. Les deux lignes sont encore là. *Oh, my god! Oh, my god! Oh, my god!*

Léa est revenue dîner à la maison, certaine d'avoir raté son examen de maths de fin d'année. Elle a besoin de calme pour réfléchir à ce qu'elle doit faire. Elle est obsédée par cette idée qu'elle est enceinte. ENCEINTE!! Il n'y a personne au monde à qui elle peut confier ce secret. Il faut qu'elle fasse quelque chose, mais quoi? Elle commence à se préparer un sandwich, mais l'odeur du jambon la fait presque vomir. Elle jette tout à la poubelle et sort des céréales. Pendant qu'elle mange, elle ouvre sa tablette à la recherche de moyens pour faire une fausse couche. Parce qu'il est hors de question qu'elle porte ce bébé-là. Tous les sites qu'elle regarde conseillent d'aller voir son médecin. C'est hors de question, ça aussi. D^re Rainville, leur médecin de famille, le dira aussitôt à sa mère. Si seulement Marilou, sa meilleure amie, n'avait pas déménagé l'année dernière, elle aurait eu quelqu'un à qui se confier. Elle ne peut quand même pas lui téléphoner pour lui raconter ça, elles ne se sont pas parlé depuis deux mois. Léa se met subitement à pleurer, elle se mouche, s'essuie les yeux et respire un bon coup pour reprendre ses esprits. De nouveau plongée dans sa recherche, elle tombe sur un site intéressant avec des trucs faciles pour provoquer un avortement spontané: faire beaucoup de vélo, lever des poids, il y a aussi des recettes de mélanges d'herbes. *Bon, Léa, pas de panique. Tu vois bien qu'il y a des solutions.*

Martine termine un appel avec l'inspecteure Zeledon qui souhaite rencontrer Léa, seule cette fois.

— On pourrait passer tantôt, avant le souper peut-être ? Je veux pas que Léa manque l'école.

— Bien sûr, je vais vous attendre.

— Parfait. À plus tard.

Martine raccroche et appelle sa fille qui doit être revenue à cette heure. Une petite voix faiblarde lui répond, venant de la chambre. Martine va rejoindre Léa et la trouve au lit, le teint vert. Elle s'approche aussitôt, inquiète.

— Qu'est-ce qui se passe, ma cocotte ?

— Je pense que je fais une gastro.

— Ben voyons donc…

— Ça a commencé après le dîner…

Léa a un haut-le-cœur. Elle sort précipitamment de son lit et court vers la salle de bains pour aller vomir. Martine la suit et mouille une débarbouillette.

— Viens te recoucher, ma Léa. Je vais reporter ton rendez-vous avec l'inspecteure Zeledon. On ira quand tu seras mieux.

La dernière chose dont Léa a besoin, c'est un tête-à-tête avec la police. Elle a fait d'une pierre deux coups avec toute l'huile d'olive qu'elle a bue – un truc infaillible selon le site français – se débarrasser du bébé et éviter cette rencontre avec cette policière qui la regarde avec trop d'intensité.

C'est une Christine bronzée et lumineuse qui revient de vacances.

— Wow ! Je pense que, depuis que je te connais, c'est la première fois que je te vois aussi rayonnante.

— Merci, maître Bouchard.

— Ah, l'amour…

— L'amour et le mariage peut-être aussi.

— Quoi? répond Hélène abasourdie.

Christine tend fièrement vers elle une très belle alliance.

— Ben oui, on s'est mariés.

— Tu m'as pas dit ça avant de partir.

— Je le savais pas moi-même.

Hélène la regarde incrédule. Christine raconte alors que son nouveau chum avait tout prévu avec un ami qui vit en Floride, qu'il lui a demandé de l'épouser le premier soir de leurs vacances et que ça a été un mariage très intime : les mariés et deux témoins.

La vérité, c'est que Hugo l'a effectivement demandée en mariage le premier soir de leur séjour à Las Vegas. Il a mis le genou à terre et lui a fait la grande demande, les yeux brillants. Encore une fois, Christine a versé des larmes (*cette manie de pleurer à tout propos!* dirait Hélène), mais a accepté avec un empressement qu'elle-même n'aurait jamais cru possible. Il a tout organisé en très peu de temps : Vegas est habituée à ces unions express. Deux jours plus tard, ils étaient mariés avec des témoins qu'ils voyaient pour la première fois de leur vie. Hugo a assisté à deux conférences sur les cinq prévues à son programme. Ils ont transformé le reste du voyage d'affaires en lune de miel : la suite extraordinaire au Wynn, la visite du Grand Canyon en hélicoptère, les massages, les soupers dans des restaurants exceptionnels, la randonnée dans le désert… Christine n'ose même pas penser à ce que ce voyage a dû coûter.

— Eh bien… laisse tomber Hélène.

— Surprenant, hein? dit Christine, amusée.

— C'est le moins qu'on puisse dire.

— Moi-même, je suis encore sous le choc, pour être franche.

— Et il s'appelle comment, ce prince charmant?

— Hugo.

— Ah, tiens, comme maître Daoust.

— Ah, ben oui, dit Christine, feignant la surprise.

Hélène se lève et va faire la bise à son adjointe.

— Toutes mes félicitations.

— Merci. Je veux vous dire que ça change absolument rien pour nous. Je continue à travailler, tout reste pareil.

— Vous allez vivre où?

— Chez moi. Il va déménager cette semaine.

— Wow.

— Oui. Si vous avez rien pour moi, je vais me mettre au travail. Ma remplaçante a laissé les choses un peu n'importe comment.

— Non, non, va.

Christine sort du bureau, légère et pimpante. Hélène la regarde sortir. *Christine amoureuse et mariée. Pourquoi pas, tiens!*

Ingrid raccroche et ne peut réprimer un mouvement de victoire. Elle y tenait à ce contrat et c'est elle qui vient de le décrocher. Elle devra suivre Ishbel Sylvestre, une architecte, pendant un mois pour ensuite produire une vidéo de vingt minutes. Le seul hic : elle devra aller vivre à Vancouver pendant ces quatre semaines.

— Je l'ai eu, Oli!

— Le documentaire sur l'architecte?

— C'est plus un portrait, mais oui, c'est moi qu'ils veulent!

— *Yeah*! lance Olivier en la prenant dans ses bras et en la faisant tourner.

— Mais tu sais ce que ça implique.

— Oui, tu vas partir pour la Colombie-Britannique.

— Pendant un mois. À compter de jeudi.

— Wô! C'est donc ben vite, s'exclame Olivier.

— Je sais.

— Mais, franchement, ça peut pas mieux tomber. Nous aussi, chez DuoBuzzz on en a plein les bras. Je vais en profiter pour donner un gros coup.

— Je vais m'ennuyer.

— Moi aussi. Mais tu peux pas manquer cette chance-là.

— Non, je vais me faire un nom au Canada anglais avec ça. À l'international aussi, peut-être. Cette architecte-là est top, pis elle vient de gagner un gros concours pour une salle de spectacle en Irlande.

— Tu vas être une vedette, ma blonde.

— Non, mais ça va donner un bon coup de pouce à ma carrière, répond Ingrid en riant.

Ingrid trouve qu'elle a une chance inouïe d'avoir un chum aussi ouvert et compréhensif. Elle va partir le cœur en paix et va pouvoir se consacrer tout entière à ce projet excitant.

Martine est soulagée. Léa va mieux, ce matin. Pour une raison qu'elle ignore, cette gastro l'a elle-même empêchée de dormir. Elle est à mi-chemin entre la maison et son travail quand elle réalise qu'elle a oublié son lunch dans le frigo. Elle rebrousse chemin et retourne le chercher. *Merde, Xavier va me faire la gueule. Il déteste les employés en retard.* En entrant dans la maison, elle appelle sa fille. Pas de réponse, Léa est déjà partie pour l'école. Martine va prendre son sac à lunch et voit sa fille sortir du cabanon, au fond du jardin. *Mais qu'est-ce qu'elle fait là ?* se demande Martine. Léa referme soigneusement la porte et s'éloigne. Martine a le réflexe d'aller voir, mais elle est déjà trop en retard. Elle tirera ça au clair ce soir.

À peine a-t-il mis les pieds chez elle qu'Hélène comprend que Gabriel a eu une journée éprouvante. Son amoureux se laisse tomber sur le canapé.

— Journée de marde.

— Comment ça? demande Hélène compatissante.

— J'ai passé encore deux heures à répondre aux mêmes maudites questions de l'inspecteure Lezedon, Zolede…

— Zeledon, corrige Hélène en souriant.

Gabriel lui a souvent parlé de cette policière.

— Ouain, elle. Pis ensuite ben… Mon frère et ma sœur sont revenus de voyage.

— Pis ils ont su pour Léa?

— Je leur ai raconté, je voulais pas qu'ils l'apprennent autrement.

— Pis?

— Avec Mylène, ça a été plutôt correct. Mais André…

— Raconte, demande Hélène.

Gabriel se laisse tomber sur une chaise et lui fait part de l'engueulade monstre qu'il a eue avec son frère. De la peur de ce dernier que cette histoire…

— … sordide, dégoûtante et ignoble. Ce sont ses mots. Peux-tu croire!?

Que cette histoire, donc, nuise à l'entreprise, voire détruise la réputation de Tarpan.

— Il m'est même revenu avec une affaire vieille de deux ans, d'une fillette qui était tombée amoureuse de moi.

— Ah oui? répond Hélène, heureuse qu'il lui en parle sans qu'elle ait à le faire elle-même.

— Imagine-toi qu'une enfant de onze ans, que je coachais, s'était mise en tête qu'elle était amoureuse de moi. J'ai évidemment tout de suite averti les parents et ils l'ont retirée de chez nous. André m'en a d'ailleurs beaucoup voulu d'avoir fait ça. Il m'a reproché d'avoir averti les parents trop rapidement et inutilement, d'avoir fait perdre un espoir olympique à Tarpan. Pis là, il ose me remettre ça sur le nez.

— Ouf...

— Oui. Ça faisait longtemps qu'on s'était pas pognés de même. Pis la conclusion, c'est qu'il refuse que je remette les pieds à l'écurie tant que mon histoire est pas réglée.

— Sans blague? Tu pourras plus travailler?

— De chez moi seulement.

— Merde.

— Tu l'as dit, répond Gabriel.

Hélène caresse le dos de son homme.

— J'ai fait à souper...

— Veux-tu me rachever? demande Gabriel faussement sérieux.

Ils éclatent de rire.

Martine a pensé à Léa et au cabanon toute la journée, au point de faire deux erreurs en rendant la monnaie à des clients. Une chance que les gens sont honnêtes et que, les deux fois, ils le lui ont fait remarquer. En revenant chez elle, le soir, elle s'en va directement au fond du jardin, sans même aller déposer son sac dans la maison. Elle ouvre la porte et aperçoit aussitôt un chat, tout noir avec une tache blanche sur le front, couché dans un panier. Voilà donc ce que Léa cachait! La bête se lève à son arrivée et miaule. Deux bols sont déposés pas très loin contenant de l'eau et de la nourriture et il y a même une litière. Martine a peur des félins, elle ne sait trop comment les approcher. Elle n'ose pas le caresser. C'est le chat qui fait les premiers pas et qui se frotte contre ses jambes. Dans le panier, il y a une écharpe Louis Vuitton. Rien de moins.

Quand Léa revient de l'école, elle trouve sa mère qui l'attend, assise à la table de la cuisine.

— Viens t'asseoir, Léa.

— Quoi encore ? Un autre sermon ? Sur quoi, cette fois-ci ?

Martine ne répond pas, bien décidée à ne pas réagir aux provocations de sa fille. Léa se laisse tomber sur la chaise devant sa mère et soupire.

— Vas-y, *shoote* !

— Tu gardes un chat dans le cabanon.

Léa accuse le coup : merde, sa mère a découvert la cachette. Puis elle redevient rapidement frondeuse.

— Ouais.

— Mais à quoi tu penses de garder une petite bête comme ça enfermée dans une cabane ?

— Je la sors des fois avec une laisse pour pas la perdre. Je joue avec elle dans le jardin. Pis je la nourris tous les jours…

— « La » ? Comment tu sais que c'est une femelle ?

— Je le sais.

— Mais où tu l'as prise ?

— Je l'ai trouvée. J'ai décidé de la garder pis d'en prendre soin. Tu veux pas de chat, toi.

— As-tu pensé que ce chat-là appartient probablement à quelqu'un ?

— Non, elle avait l'air perdue.

— Pis le foulard Vuitton ?

— Pas rapport. Je l'ai trouvé dans les poubelles.

Martine ne sait trop si elle doit la croire.

— Pis l'hiver prochain, tu feras quoi ? demande Martine.

— Je sais pas, c'est loin. J'y avais pas encore pensé. Maman ?

— Oui ?

— S'il te plaît, ma mammie d'amour, laisse-moi la garder.

Léa est redevenue soudainement la petite fille que Martine connaît, pas cette ado impertinente qu'elle est depuis quelque temps. Devant l'hésitation de sa mère, Léa insiste pour assurer son avance.

— Dis oui, maman. T'auras rien à faire. Tu vois bien que je suis capable de m'occuper d'un minou. Je le fais depuis des semaines. S'il te plaît...

Martine hésite. Léa la regarde avec tant d'espoir.

— OK, accepte Martine. Mais on fait un essai. Je te promets pas qu'on va la garder.

Léa saute dans les bras de sa mère.

— Merci, maman, tu le regretteras pas! Je vais aller la chercher tout de suite. OK?

Sans attendre la réponse, Léa est déjà dehors, courant vers le cabanon. Martine sourit en se disant que si avoir un chat est le prix à payer pour retrouver sa fille, ça vaut le coup.

Par le hublot, Ingrid regarde le sol s'éloigner puis elle sort son cahier de travail. Elle a près de six heures de vol devant elle avant d'atterrir à Vancouver et elle entend bien mettre ce temps à profit pour réfléchir à son concept. C'est la première fois qu'elle part aussi longtemps de chez elle et aussi loin. Oli est venu la reconduire à l'aéroport et, au dernier moment, il lui a glissé quelques mots à l'oreille et est reparti sans attendre la réponse. «Je veux vraiment fonder une famille avec toi Ingrid. Pense à ça, OK?» Mais Ingrid n'a pas envie de penser à ça, elle veut consacrer ce mois à son travail. Point barre.

La nuit est exceptionnellement fraîche pour le mois de juillet. Hélène et Gabriel, enveloppés dans des jetés chauds et confortables, sont assis devant le foyer extérieur, cadeau de Gabriel.

— Quelle bonne idée! s'exclame Hélène en regardant le feu crépiter.

— Ne pas aller au bureau tous les jours a ses avantages: j'ai du temps pour magasiner.

— Mais au ton de ta voix, je comprends qu'il y a surtout pas mal de désavantages.

— Oui. J'avoue que je suis pas très relaxe. Il y a des gens qui vont se demander en quel honneur je suis pas à l'écurie, ces temps-ci. Tous les entraînements que je fais plus… J'ai l'impression de laisser tomber mon monde.

— Je comprends.

— En plus, poursuit Gabriel, je m'ennuie de monter. C'est ce qui me manque le plus, je pense, mon cheval…

— Tu pourrais venir à mon centre.

— Non, ça aurait l'air bizarre. Tout le monde me connaît dans la région. Si on me voit monter ailleurs que chez Tarpan…

— Je trouve que ton frère y est allé un peu fort, non? Ces accusations-là sont même pas publiques.

— Il veut pas prendre de chances. Au cas où ça sortirait.

— T'aurais pas pu lui tenir tête?

— Il est majoritaire dans Tarpan.

— Pis?

— Ben c'est lui qui a le dernier mot.

Puis Gabriel poursuit, sans transition.

— Je pense que je vais devoir me prendre un avocat. Jusqu'ici, je me disais que ça jouait en ma faveur de me présenter seul aux interrogatoires, que j'avais l'air moins coupable, mais ça finit plus cette histoire.

— Tu devrais rencontrer mon associé.

— Oui, c'est pas bête.

❦

Léa n'a savouré que peu de temps la victoire d'avoir réussi à convaincre sa mère de garder la chatte. Très vite, la panique créée par sa grossesse est revenue la hanter. Elle n'a pas encore trouvé de solution. Elle marche vers la bibliothèque, plongée dans ses pensées. Arnaud passe à côté d'elle à vélo et ne s'arrête même pas.

— Arnaud!!! Hey!

Mais Arnaud – qui l'a entendue, c'est sûr, il n'a même pas d'écouteurs – ne daigne pas se retourner, encore moins s'arrêter. Trop, c'est trop. Et là, subitement, parce qu'Arnaud Langlois-Tremblay la traite vraiment en idiote, elle a cette idée de génie pour lui montrer qu'elle est loin d'être une sotte. Elle sort son cellulaire et écrit trois mots.

Je suis enceinte.

Elle appuie sur «envoyer». Elle sait qu'Arnaud va rappliquer.

CHAPITRE 13

Léa marche vers chez elle quand Arnaud la rattrape. Il lui tend son téléphone sous le nez.

— C'est quoi ça ?

— La vérité, répond Léa.

— T'es conne ou quoi ? Ma mère regarde mes textos.

— Fallait que tu le saches, pis tu veux plus me parler.

— Tu peux pas être enceinte. On l'a fait juste une fois.

— Ben je le suis pareil. Le condom a pété, tu te souviens ?

— T'es 100 % certaine ? demande Arnaud, d'une voix blanche.

— Oui.

Arnaud reste silencieux un moment.

— Qu'est-ce qui prouve que c'est moi ?

— Il y a seulement eu toi.

— Que tu dis, rétorque Arnaud.

Arnaud remonte sur son vélo et s'éloigne.

— On a pas fini de parler, Arnaud, crie Léa.

— Moi oui, répond Arnaud sans même se retourner.

Léa pince les lèvres, contrariée et paniquée. Il ne la croit pas ! Elle doit le convaincre. Elle ne peut pas rester toute seule avec ça.

À Vancouver, Ingrid travaille beaucoup, mais a aussi du temps pour elle. L'architecte Ishbel Sylvestre est mère de quatre enfants et ne travaille pratiquement jamais le soir. Pour Ishbel, la vie professionnelle est importante, mais la famille l'est tout autant. Ingrid admire la manière dont elle concilie le tout. Elle qui croyait travailler sans arrêt, a finalement pas mal de temps pour elle. Elle a loué une chambre dans un gîte à quelques rues de chez Ishbel, dans Yaletown, et s'est créé une routine qui lui plaît beaucoup. Elle est devenue une habituée du petit café au coin de la rue, elle marche beaucoup et elle réfléchit. Au portrait d'Ishbel qui avance à un bon rythme, mais aussi à sa vie personnelle.

Sa décision de ne pas avoir d'enfant ne lui semble pas aussi facile à tenir qu'elle l'a d'abord cru. Voir régulièrement Ishbel, heureuse et épanouie, entourée de sa smala, n'aide pas non plus.

De plus, elle s'était bien juré de mettre derrière elle son histoire avec Patrick, mais ce mensonge entre elle et Olivier lui pèse un peu plus chaque jour. Ce qui lui a paru la meilleure idée du monde, le taire à jamais, lui semble maintenant un très mauvais choix. Comment pourra-t-elle faire sa vie avec Oli avec ce gros secret sur la conscience? D'un autre côté, elle risque gros en le lui avouant. Très gros. Ishbel dit que quand elle est confrontée à des dilemmes, professionnels ou personnels, elle sait que la réponse est en elle, qu'elle doit arrêter de se concentrer sur le problème et faire de la place pour que la solution émerge. Ingrid ne sait pas trop comment s'y prendre pour «faire de la place», alors elle continue de marcher des kilomètres en attendant sa réponse.

Quelques jours après leur discussion interrompue, Léa revient de faire une course à l'épicerie pour sa mère quand elle aperçoit Arnaud seul, qui traverse le parc Pelletier. Elle court vers lui et crie.

— Arnaud! Je vais passer un test ADN pour te le prouver.

Ça marche! Arnaud stoppe net et l'attend.

— Pour vrai? Tu cries ça de bord en bord du parc?

— Je prends les moyens que je peux pour que tu m'écoutes.

— Tu me gosses, Léa.

— Si tu redeviens pas mon chum, que tu t'occupes pas de moi pis de ma grossesse, ça va vraiment chier pour toi.

— Ah ouain? J'ai ben peur, rétorque Arnaud, frondeur.

Léa est vraiment piquée par cette attitude. Elle décide de jouer le tout pour le tout.

— Je vais dire à la police que c'est toi qui m'as forcée à accuser mon père d'abus sexuel.

— Quoi?

— T'as bien compris.

— Ton père a abusé de toi?

— Non, mais c'est ça que j'ai dit pareil.

Arnaud se demande s'il a bien compris.

— T'as accusé ton père d'abus sexuel alors que c'est pas vrai?

— Oui, la police enquête pis toute.

Arnaud est sous le choc de cette révélation.

— Pourquoi t'as fait ça? Il doit être tellement dans la marde.

— Pas autant que toi, quand je vais leur dire que tu m'as forcée à l'accuser.

— Mais t'es malade, Léa…

Elle tourne les talons et s'éloigne. Après quelques pas, elle se retourne sans cesser de marcher.

— Réfléchis à ton affaire, Arnaud Langlois-Tremblay.

Pour dire vrai, Léa n'est pas si sûre d'elle. Mais il faut bien qu'elle réagisse, qu'elle se défende, qu'elle obtienne de l'aide d'Arnaud. Quelle autre option lui reste-t-il?

Hélène revient du palais de justice plus tôt que prévu. En entrant au bureau, elle est surprise de trouver la chaise de son adjointe vide et suppose qu'elle est avec Hugo. Elle dépose les dossiers et se dirige vers le bureau de son associé. Elle cogne et entre pour les trouver en train de s'embrasser! Les deux se tournent vers elle avec des visages ébahis. Hélène ouvre la bouche pour dire quelque chose, rien ne lui vient. Elle referme la porte et s'enfuit dans son bureau.

Elle se laisse tomber dans son fauteuil et attache les fils. Tout ce temps-là, il était question de Hugo. Christine a même dit que son mari s'appelait Hugo. Son mari! Hugo Daoust et Christine sont mariés!!?! Ils étaient donc tous les deux à Las Vegas? On cogne à sa porte. Ce sont eux. Ils viennent se placer devant elle. Christine est visiblement mortifiée. Hugo assume pleinement ce qui arrive.

— Vous avez dû me trouver vraiment nouille de pas allumer, pas vrai? lance Hélène.

— Non! Pas du tout. On a tout fait pour le cacher.

— Pas tant que ça. Tu m'as même dit que ton chum s'appelait Hugo.

— Un acte manqué, je crois, répond Christine, un peu piteuse.

— Pourquoi ne pas me le dire?

— On le sait pas trop. Tout est allé tellement vite.

— C'est vrai! dit Christine en pleurant.

Hugo la colle contre lui. Elle résiste un peu, gênée devant sa patronne.

— Pleure pas comme ça, bella, on n'a pas commis de crime.

— Non, mais…

— Ça m'attriste que vous ayez pas eu assez confiance en moi pour me le dire, la coupe Hélène.

— Dites pas ça, maître Bouchard, ça me crève le cœur, dit Christine en pleurant de plus belle.

— Quand je pense que tout était là devant moi, pis que j'ai rien vu. RIEN.

— Je suis désolée…

— Tout reste pareil, Hélène, dit Hugo. On continue à faire ce qu'on faisait sauf que, Christine et moi, on est amoureux et mariés.

— Ben non, je suppose que ça change rien, dit Hélène pas vraiment convaincue. Laissez-moi décanter ça, d'accord?

— Oui, oui, bien sûr, s'empresse de répondre Christine. Viens, Hugo, laissons maître Bouchard digérer la nouvelle.

Christine et Hugo quittent le bureau en refermant doucement la porte derrière eux. Hélène se dit qu'elle a vraiment «dormi au gaz», comme dirait son fils. Elle a eu quelques intuitions qu'elle a choisi d'ignorer. Est-elle comme ça dans tous les domaines de sa vie? Ignorer les signaux pour ne pas devoir agir, pour que rien ne bouge. Manque-t-elle de courage à ce point?

Léa n'a pas pu reporter davantage le rendez-vous avec l'inspecteure Zeledon. Elle marche dans le long couloir du poste de police avec sa mère. Cette fois, elle devra affronter seule la policière. Tout à coup, elle a peur. Qu'est-ce qui va lui arriver si elle est découverte? Elle n'ira pas en prison, elle est trop jeune pour ça, mais peut-être l'enverront-ils vivre dans un centre pour délinquants, loin de ses parents? Juste à y penser, elle a envie de disparaître. Elles arrivent devant la salle où l'attend l'inspecteure.

— Viens avec moi, supplie Léa.

— Elle souhaite te voir seule, tu le sais bien. Je serai juste ici, dit Martine montrant une rangée de chaises dans le corridor.

Léa prend son courage à deux mains et entre. L'inspecteure lui sourit et l'invite à s'asseoir.

— Ça va bien, Léa?

— Bof.

— Ça sera pas très long, aujourd'hui. Des précisions seulement. D'accord?

— OK.

— Tu as dit que tout avait commencé dans un hôtel de Montréal.

— Oui.

— Redis-moi comment ton père t'a demandé ça?

— Il l'a pas demandé, il l'a juste fait, répond Léa, déjà pressée d'en finir.

— Pourtant, tu as dit l'autre jour que ton père t'avait demandé si…

Léa se lève, prise soudainement d'une nausée. Elle met la main devant sa bouche et va vers la porte pour l'ouvrir et aller aux toilettes. Mais la porte se verrouille automatiquement de l'intérieur. Léa a beau tourner la poignée, la porte ne bouge pas. Incapable de se retenir davantage, Léa vomit sur le plancher de la salle d'interrogatoire et éclate en sanglots. L'inspecteure s'approche pour lui venir en aide.

— Mon doux, Léa… Attends, je vais chercher ta mère.

Elle appuie sa carte magnétique pour ouvrir la porte et appelle Martine. Cette dernière accourt vers sa fille.

— Qu'est-ce qui se passe, Léa? demande Martine, inquiète.

— Je sais pas, répond Léa, en sueur et sanglotant toujours.

— C'est à peine si j'ai eu le temps de poser ma première question, ajoute Zeledon. Je vais aller chercher une débarbouillette…

L'inspecteure quitte. Martine colle sa fille contre elle.

— Encore une gastro?

— Je sais pas, ne peut que répéter Léa. Est-ce qu'on peut s'en aller chez nous?

— Ben oui, ma puce…

Martine prend soin de sa fille, tente de se convaincre que c'était le retour de la gastro, mais les jours passent et elle est affreusement inquiète. Léa refuse de parler de quoi que ce soit. Au point où

Martine en vient à se demander si les accusations étaient vraies. Mais elle se secoue aussitôt, se sentant bien trop coupable de mettre les dires de Léa en doute. Elle n'a pas le droit de faire ça, elle est sa mère, sa seule alliée. Mais elle ne sait plus comment la prendre. Léa a fait une crise quand il a été question de retourner au poste de police, une autre quand Martine a insisté pour qu'elle s'inscrive à un cours de natation et encore une autre quand elle a voulu l'emmener voir D^{re} Rainville. Sans compter toutes les crisettes pour ne pas manger de champignons, ne pas ranger la cuisine, ne pas sortir prendre l'air. En fait, Léa explose pour un oui ou pour un non. Martine est complètement dépassée. Elle ne sait plus quoi faire.

Ça fait presque une semaine que Léa n'est pas sortie de la maison. Elle n'a pas à se forcer beaucoup pour faire croire qu'elle est malade : elle se sent épuisée dès le saut du lit. Elle se traîne toute la journée, réprime des nausées, un rien la bouleverse et tout l'énerve. Elle regarde son cellulaire mille fois par jour et elle n'a encore aucune nouvelle d'Arnaud. Ça, c'est pas normal. Elle sait qu'elle lui a fait la peur de sa vie. Pourquoi prend-il tellement de temps pour la rappeler ? Et, sans qu'elle s'en aperçoive, les larmes coulent sur ses joues. La petite chatte, qui passe ses journées avec elle, vient se blottir sur ses genoux et ronronne joyeusement. Léa sourit à travers ses larmes en la flattant. Elle s'ennuie de son père et les raisons qu'elle trouvait très convaincantes pour l'accuser, il y a quelques mois, le sont de moins en moins à mesure que le temps passe. Ça devait être simple, cette stratégie pour ravoir son père tout à elle. Maintenant, c'est devenu trop gros et trop compliqué, se dit-elle en prenant la petite chatte contre elle dans une vaine tentative pour se réconforter.

L'avion atterrit en douceur. Ingrid est heureuse d'être enfin de retour au Québec. Elle a hâte de revoir son homme, sa famille, sa mère. Elle revient avec du matériel et des idées formidables pour faire le montage de son portrait d'Ishbel. Comme prévu, Olivier l'attend. Elle saute dans ses bras. Dans l'auto, sur le chemin de retour vers Granby, elle lui parle avec enthousiasme de son séjour à Vancouver, de son amitié avec Ishbel, de la famille de celle-ci. En arrivant au condo, Ingrid est ravie de voir qu'Olivier a pris congé pour l'après-midi et qu'il a préparé un repas. Ce qu'elle a à lui dire ne se dit pas au restaurant.

Assise à son bureau, Hélène prend un moment pour écrire un texto à Julie.

> Je pense à toi, ma belle !

Son amie traverse une période difficile et a besoin de se sentir bien entourée. Hélène repense à leur dernière conversation quand Christine vient l'avertir que son prochain rendez-vous est arrivé.

— Madame Tremblay, une nouvelle cliente, précise Christine.

— D'accord, fais-la entrer.

— Ils sont deux.

Hélène regarde la nouvelle cliente entrer dans son bureau en compagnie d'un jeune homme de seize ou dix-sept ans. Ils s'assoient devant elle.

— Qu'est-ce que je peux faire pour vous ?

— Nous sommes ici parce qu'on a besoin de conseils juridiques.

— D'accord, je vous écoute.

La cliente lui raconte qu'elle souhaite protéger son fils et veut être conseillée sur la meilleure manière de réagir à la menace qui pèse sur lui. Elle explique alors comment son ex-petite amie essaie de le faire chanter avec sa grossesse. La jeune fille a faussement accusé son père d'abus sexuel et elle veut faire croire que c'est son fils qui l'a forcée à le faire. Hélène devient livide.

— Faussement accusé?

— Oui, c'est elle-même qui me l'a dit, répond l'adolescent.

— Et elle est enceinte?

— Elle dit que c'est de moi, mais... poursuit le jeune homme.

— Quel est le nom de cette fille? demande Hélène

— Léa Delisle, répond Arnaud.

CHAPITRE 14

— Je vais devoir vous arrêter tout de suite, je suis en conflit d'intérêts. Je connais Léa.

Sonnée, Hélène reste professionnelle malgré tout et donne le nom d'un confrère pour les aider. La mère et le fils, encore surpris de la tournure des événements, sortent du bureau à peine dix minutes après y être entrés. Hélène pousse un soupir de soulagement quand la porte se referme sur eux. Elle appuie sur l'interphone.

— Christine, s'il te plaît, retiens tout pour la prochaine heure. J'aimerais ne pas être dérangée.

— Bien sûr, maître Bouchard.

Hélène a besoin de calme et de silence pour réfléchir. Elle se lève et fait les cent pas dans son bureau. Liée par le secret professionnel, elle ne peut ni alerter la police ni en parler à Gabriel. Quoi faire alors ? Malgré la complexité de la situation, elle ne peut s'empêcher d'être soulagée d'avoir la confirmation de l'innocence de Gabriel.

Olivier a fait les choses en grand pour le retour de sa femme. La table est mise impeccablement, il a popoté un des repas préférés d'Ingrid – une fondue au fromage, la recette où il y a du gruyère, du vacherin, du vin mousseux et un peu de brandy. Le repas est déjà bien entamé et Ingrid se sent de plus en plus angoissée à l'idée de parler. Une petite voix lui susurre qu'elle pourrait bien s'en tenir à sa première décision de garder son aventure secrète. Mais celle de sa conscience lui rappelle qu'elle ne pourra pas vivre avec ça très longtemps et que plus elle repousse le moment des aveux, pire ce sera.

— Oli… j'ai quelque chose à te dire. Quelque chose de désagréable.

— Ah bon, répond-il, en déposant sa fourchette et en s'appuyant sur le dossier de sa chaise.

— J'ai fait une grosse niaiserie.

— À Vancouver?

— Non, quand je suis allée à Saint-Sauveur pour ma fin de semaine de ressourcement.

Olivier est livide. Il sait déjà sans qu'elle ait eu à le dire.

— Dis-moi pas que tu m'as trompé.

Ingrid baisse le regard en signe d'assentiment.

— Ostie, Ingrid! laisse tomber Olivier, à la fois furieux, déçu, blessé.

— Laisse-moi au moins t'expliquer.

Ingrid voit bien qu'il n'a aucune ouverture à ses remords et à ses excuses. Elle va jusqu'au bout quand même. Elle lui dit que cette histoire ne compte pas pour elle, qu'elle était encore ébranlée par les fausses couches, qu'elle ferait n'importe quoi pour qu'il lui pardonne, qu'elle l'aime de tout son cœur, de toute son âme. Olivier reste coi. C'est pire qu'une crise de rage, estime Ingrid.

— Dis quelque chose, Oli, supplie Ingrid.

En guise de réponse, Olivier se lève, prend sa veste au passage, va vers la porte et sort. Ingrid reste en plan, le cœur en miettes, un festin devant elle pour lequel elle n'a plus aucun appétit.

Martine n'en peut plus de jongler toute seule avec ses idées. Elle ne sait plus quoi faire avec Léa. La seule personne au monde avec qui elle peut échanger, c'est Gabriel. Elle est passée par-dessus toutes ses réserves et lui a donné rendez-vous dans le petit espace vert derrière la bibliothèque, un lieu neutre. Elle attend depuis peu lorsque Gabriel arrive.

— Merci d'être venu.

— Ça me fait plaisir.

— Comme je te disais, c'est à propos de Léa.

— Ça va être difficile pour moi de t'aider, dans les circonstances…

— Oui, je sais, mais elle m'inquiète terriblement…

Et Martine de raconter tout ce qui s'est passé ces derniers temps et de décrire le comportement et les humeurs en montagnes russes de leur fille et ses efforts à elle pour ramener la paix et le calme.

— Je suis compréhensive, posée. Je te jure, Gabriel, que je fais de gros efforts. Mais ça donne rien. Je lui ai même permis de garder un chat qu'elle a trouvé. C'est te dire.

— Tu détestes les chats.

— Oui, mais elle est tellement anxieuse et émotive. Je me suis dit que sa petite chatte l'aiderait peut-être. Un genre de zoothérapie.

— Tu dis qu'elle a trouvé cette chatte? insiste Gabriel.

— Oui.

— Elle a l'air de quoi?

— Je suis obligée de dire qu'elle est vraiment mignonne, toute noire avec une tache blanche sur le front…

— Oh, mon Dieu…

— Quoi? demande Martine, alertée par la réaction de son ex.

— C'est le chat d'Hélène. Léa a volé le chat d'Hélène, dit Gabriel, consterné.

— Ben voyons donc! rétorque Martine, incrédule.

— Tu viens exactement de la décrire.

— C'est peut-être un hasard, il y a plein de chats de cette couleur-là, plaide Martine sans conviction.

Gabriel lui raconte la perte du chat un soir où Léa était à la maison d'Hélène, les démarches de cette dernière pour le retrouver. Gabriel et Martine se regardent, atterrés : il y a quelques mois, ni l'un ni l'autre n'aurait cru leur fille capable d'un tel geste. Aujourd'hui, ils en sont persuadés. Martine doit déjà retourner travailler. Ils se quittent avec la promesse de se reparler très rapidement.

Sans même qu'il ait réfléchi, les pas d'Olivier le mènent sur la tombe d'Étienne. Il aimerait tellement pouvoir lui parler. Il aurait compris comment il se sent. Ingrid l'a encore trompé. Comment a-t-elle pu lui faire ça encore ?! S'il s'écoutait en cette minute, il retournerait au condo pour lui demander de partir, de ne plus jamais se retrouver sur son chemin. En même temps, il se demande comment il pourrait vivre sans elle, son Ingrid, sa belle blonde. Tout se bouscule dans sa tête. Il maudit, une fois de plus, la vie, le cancer, le destin, de lui avoir enlevé son père si tôt.

Hélène sort d'une salle de réunion. Elle avait grandement besoin de retrouver son calme et de retrouver une certaine paix intérieure en compagnie de ses amis AA. À peine sortie, mue par un élan irrépressible et le désir de se fier à son intuition, Hélène va attendre Léa à la sortie du centre communautaire. Elle ne peut pas rester à ne rien faire avec l'information qu'elle vient d'avoir. Léa est très surprise de voir Hélène. Cette dernière se force à être cordiale même si elle n'a qu'une envie : la gifler pour ce qu'elle a fait à son père.

— Je me demandais si tu accepterais de faire quelques pas avec moi.

— Euh…

— S'il te plaît, Léa, c'est important.

— Bon. OK, d'abord.

Elles marchent quelques minutes en jasant de tout et de rien. Puis Hélène plonge.

— Je suis au courant que l'accusation contre ton père est fausse.

Léa fige.

— Comment tu peux savoir ça ?

— Peu importe. Te rends-tu compte dans quel pétrin tu t'es mise ?

Elles marchent quelques minutes en silence. Aux abords du parc Victoria, Hélène se tourne vers Léa et voit son visage inondé de larmes.

— Tu comprendras, après ce que t'as fait, que je ne suis pas très touchée par tes pleurs.

— Je suis enceinte aussi.

— Ça aussi, je le sais. Non seulement tu accuses ton père de choses horribles qu'il n'a pas faites, mais en plus tu fais du chantage à ton ex-chum, dit Hélène, durement.

— Je savais pas quoi faire, répond Léa, la lèvre inférieure tremblante.

Léa va s'asseoir sur un banc et met son visage dans ses mains. En la rejoignant, Hélène trouve qu'elle a l'air tellement jeune et vulnérable. Pourquoi une fille comme elle, choyée et aimée, a-t-elle inventé des histoires pareilles ? Comme si elle avait entendu ses pensées, Léa s'effondre.

— Ben voyons Léa ! T'es plus un bébé. Accuser ton père d'agression sexuelle… Tu pensais quoi ?

En sanglotant, Léa lui avoue qu'au début c'était comme un jeu pour reprendre sa place auprès de son père, qu'elle était tannée de passer en deuxième après Hélène, qu'elle avait vu ça dans un film et que ça avait marché pour la fille. Léa avoue tout, visiblement soulagée de ne plus avoir à maintenir ses mensonges plus longtemps. Tout sort de manière un peu chaotique.

— Je le savais ben que c'était pas correct, mais à un moment donné j'étais pognée dans mes menteries. La police me fait peur. Tu devrais voir les yeux de l'inspecteure Zeledon. On dirait qu'elle peut lire dans ma tête. Pis quand ils vont savoir ça, mes parents me parleront plus jamais.

Léa éclate en sanglots.

— Je m'excuse de ce que je t'ai fait. Je veux juste que ça revienne comme avant.

— Ça, ça sera pas possible Léa, répond Hélène, c'est trop grave.

Léa pleure de plus belle. D'abord agacée, Hélène est peu à peu touchée par la jeune fille.

— Je vais faire n'importe quoi pour arranger les affaires. N'importe quoi. S'il te plaît, Hélène, aide-moi. Je pourrais aller tout avouer à mon père ?

— Il a une interdiction de t'approcher, tu te rappelles ?

Léa pleure comme la fillette qu'elle est, aux prises avec quelque chose de trop gros pour elle. La compassion d'Hélène prend alors le dessus, elle entoure Léa de son bras.

— OK, je vais t'aider.

— C'est vrai ? demande Léa, pleine d'espoir.

— Oui. Voici ce qu'on va faire.

Après son arrêt au cimetière, Olivier a marché deux heures dans les rues de Granby. Il rumine les mêmes pensées, en vain. Il n'arrive pas à voir clair. Sans trop s'en rendre compte, ses pas le mènent chez DuoBuzzz. Il lève la tête et regarde les fenêtres du bureau. La place est plongée dans la noirceur, tout le monde est parti pour le week-end. À peine est-il entré que Buzzz-le-chat trottine vers lui. Olivier le prend dans ses bras et se laisse tomber sur le canapé.

Buzzz sent tout de suite l'énergie brouillée d'Olivier. Il sait que ça ne va pas du tout. Le chat décide donc de faire ce qu'il fait le mieux : se blottir encore davantage contre Olivier et ronronner à plein. Il sait que son petit moteur fait du bien, qu'il a un effet calmant et Oli a clairement besoin de douceur et de paix en ce moment.

Une heure plus tard, Olivier cogne à la porte de sa mère, sans succès.

❧

Hélène est allée reconduire Léa chez Martine et a appris avec stupéfaction que l'adolescente avait volé sa chatte Suzanne. Malgré tout, Hélène est restée le temps que Léa avoue tous ses mensonges à une Martine atterrée. Cette fois, l'ex de Gabriel a accueilli Hélène beaucoup plus gentiment. Quand Léa est allée dans sa chambre, Hélène est restée avec Martine pour la conseiller sur la suite des choses.

Quand elle revient chez elle avec Suzanne dans les bras et son écharpe Louis Vuitton sale et déchirée, elle trouve Olivier qui l'attend, assis dans les marches.

— Oli ? Qu'est-ce que tu fais là ?

— Ah, m'man, si tu savais…

Hélène met alors de côté sa fatigue et les émotions qu'elle vient de vivre avec Léa et Martine pour écouter son grand garçon.

❧

L'inspecteure Zeledon reçoit la nouvelle des fausses accusations sans surprise. Plusieurs indices lui avaient permis de croire que les dires de Léa n'étaient qu'un tissu de mensonges. Les techniques d'interrogatoire sont raffinées et éprouvées et ça faisait un moment que l'inspecteure avait la puce à l'oreille. Ce n'était qu'une question de temps pour que Léa craque. La fillette se fait sermonner. Elle accepte les réprimandes avec humilité tant elle est soulagée d'avoir la conscience enfin en paix.

Olivier revient au condo après plusieurs heures d'absence. Ingrid a tout rangé et l'attend au salon. Elle regarde son homme s'approcher avec une grande appréhension. Dans quelques secondes, ça sera peut-être la fin de leur couple. À cause d'elle et de son pseudo-besoin de liberté. Olivier s'assoit dans un fauteuil, à bonne distance d'elle. *C'est mauvais signe*, pense Ingrid.

— OK, Ingrid, je vais passer l'éponge. Encore une fois.

Ingrid ressent une vague de bonheur.

— Oh, Oli…

Mais Olivier la coupe.

— J'ai besoin de temps pour digérer ça.

— Je comprends, s'empresse de répondre Ingrid.

— Ça fait deux fois que tu me fais le coup. Il y aura pas de troisième fois.

— Non, il y en aura pas.

— Je suis pas sûr que je fais une bonne affaire, mais je suis pas plus certain que ça serait correct qu'on se laisse, fait que…

— Tu regretteras pas ta décision, mon amour.

— Je suis brûlé, je vais me coucher, dit Olivier en se levant.

— Je te rejoins bientôt.

Ingrid regarde son mari disparaître dans la chambre. Elle remercie le ciel. Plus jamais elle ne va le tromper. JAMAIS.

Hélène et Gabriel prennent ensemble leur repas du soir. Malgré l'heureuse conclusion pour Gabriel, ni l'un ni l'autre n'ont vraiment le cœur à la fête. Ils n'ont pas encore terminé que ça sonne à la porte. Gabriel va ouvrir et se retrouve devant Martine et Léa qu'il n'a pas vue depuis plus de deux mois. Cette dernière lui saute dans les bras.

— Papa! Je me suis tellement ennuyée de toi.

Gabriel la reçoit avec une grande retenue. Léa le sent et regarde sa mère avec désarroi.

— Quand on parlait des conséquences d'un geste aussi grave, c'est ça que je voulais dire, Léa. Tu peux pas t'attendre à ce que tout redevienne pareil tout de suite, lui dit Martine.

— Entrez, restons pas dans le vestibule, dit Gabriel en s'effaçant pour laisser passer sa fille et son ex.

Ils se retrouvent tous les quatre au salon. Hélène ne se sent pas très à l'aise.

— Je crois que je vais vous laisser…

— Non, non, pars pas, s'il te plaît, dit Gabriel. Après tout, c'est grâce à toi si Léa a finalement tout avoué.

Hélène regarde Martine. Cette dernière lui fait signe qu'elle est d'accord.

— Oui, reste avec nous, Hélène, ajoute Léa.

— Bon, Léa, tu m'as demandé de venir pour parler à ton père. C'est le moment, là, vas-y.

Léa rassemble tout son courage pour s'adresser à son père.

— Papa, je m'excuse pour le mal que je t'ai fait. Je mesurais pas les dégâts que ça causerait, je te jure. J'ai pas réfléchi. Je suis vraiment désolée.

Léa retient difficilement ses larmes.

— S'il te plaît, papa, pardonne-moi.

— Je te remercie de me dire ça. Merci aussi d'être venue me le dire en personne, je l'apprécie, répond Gabriel, incapable de donner la réponse qu'espère Léa

Un silence s'installe.

— Viens, Léa. T'as dit ce que tu avais à dire. On va retourner à la maison, dit Martine en se levant.

— Je pourrais peut-être rester ici, ce soir ? demande Léa d'une toute petite voix.

— Non, pas ce soir, dit Gabriel.

Puis il ajoute, comme pour atténuer la dureté de sa phrase :

— Une autre fois, promis.

— OK, dit Léa en retenant ses pleurs.

Martine et Léa partent. À peine la porte est-elle refermée que Gabriel éclate en sanglots. Il regarde Hélène avec une pointe de désespoir dans le regard.

— Comment je vais faire pour lui pardonner ce qu'elle m'a fait?

Les trois amies lèvent leur verre de boisson gazeuse. Il y avait longtemps qu'elles ne s'étaient vues et elles profitent du long congé de la fête du Travail pour assouvir un petit plaisir coupable et se rencontrer chez Ben la Bédaine. Hélène est heureuse de se retrouver avec elles. Elles discutent de tout ce qui leur est arrivé dans la dernière année et mesurent la chance qu'elles ont eue de réussir à passer à travers tout ça. Hélène n'a pas vu Gabriel une seule fois depuis les excuses de Léa, près d'un mois plus tôt. Mais elle est sereine malgré tout. Peut-être parce que, de manière complètement irrationnelle, elle a l'intime conviction que son histoire avec lui n'est pas terminée. Elle est allée se recueillir sur la tombe d'Étienne. Son défunt mari est maintenant pour elle une présence apaisante. Quelques fois, elle ressent encore un manque ou une douce nostalgie, mais plus de douleur insupportable.

— C'est vrai, notre existence peut basculer comme rien, dit Réjanne.

— Je le sais-tu, dit Julie. Du jour au lendemain.

— L'amour, à notre âge, c'est un cadeau qu'il faut pas gaspiller, renchérit Hélène.

Une fois de plus, elles lèvent leur verre.

Hélène est seule dans l'étable, en ce lundi de l'Action de grâces. Elle est venue étriller Helios elle-même. Par la fenêtre, elle a la surprise de voir Gabriel descendre de son véhicule et venir vers l'étable. Enfin, il y a si longtemps qu'elle ne l'a vu. Tout cela avait seulement l'air de mauvais timings, Gabriel se disant occupé à ceci, pris par cela, mais les jours ont passé, puis les semaines. Et voilà que, en ce lumineux matin d'octobre, il débarque sans avertir. *Oh mon Dieu, faites que mon intuition soit bonne et qu'il ne soit pas là pour mettre fin à notre relation.* En le regardant s'approcher, ne se sachant pas épié, Hélène l'observe sans retenue. Ce qu'il est beau! Il entre dans l'étable et l'aperçoit immédiatement.

— Salut, Hélène. Je te dérange?

— Pas du tout.

Il s'approche d'elle. Hélène est émue de le voir si près d'elle et son cœur bat à toute vitesse.

— Je suis tellement heureux de te voir.

— Tu as laissé pousser ta barbe?

— T'aimes ça?

— Oui, ça te va vraiment bien.

Maintenant qu'ils sont tout près l'un de l'autre, elle remarque la différence entre le Gabriel qu'elle a vu la dernière fois et celui qui est devant elle maintenant. Ce n'est pas que la barbe, non, l'ancien Gabriel est enfin de retour. Le Gabriel sûr de lui, séduisant et *cool*. Il prend des nouvelles d'Hélène, puis lui raconte ses dernières semaines.

— T'as sans doute compris que j'ai fait un peu exprès pour qu'on se voie pas.

— Oui. J'ai pas trouvé ça facile. D'avoir aucune nouvelle, je veux dire.

— Je suis désolé. D'abord, je me suis beaucoup occupé de Léa...

Gabriel raconte alors que ça lui a quand même pris quelques jours, mais que son cœur de père a finalement gagné sur la peine et la méfiance qu'il éprouvait envers sa fille. Il a fait un pas vers elle et ça avance. Il était avec elle et Martine quand Léa est allée se faire avorter. Puis, il l'a accompagnée à quelques rencontres

chez la psy et ça lui a fait, à lui aussi, un bien énorme. Ils recons-
truisent quelque chose.

— Je suis vraiment contente pour toi, dit Hélène sincèrement.

— Oui… mais j'avais surtout besoin de temps pour moi. Pour
me retrouver. J'étais tanné de me montrer à toi déprimé, triste, pis
le moral sous zéro.

— Je sais pas ce que tu as fait, mais c'est réussi.

— Merci, lui répond-il, avec son sourire ravageur.

Oh, que je me suis ennuyée de ce sourire.

— Je voulais te demander…

— Oui ? souffle Hélène, fébrile.

— Je veux qu'on recommence, nous deux.

— On peut juste continuer aussi… dit Hélène dans un sourire.

— Appelle ça comme tu veux. Je te veux dans ma vie, Hélène.

— Pareil pour moi.

Gabriel soupire bruyamment, visiblement soulagé. Ils rient
tous les deux, nerveusement.

— J'ai eu peur de t'avoir perdue, lui dit-il à voix basse.

— Moi aussi, murmure Hélène.

— Il était temps qu'on se retrouve.

Hélène a une pensée pour Étienne et elle se dit qu'il y est pour
quelque chose, dans cette heureuse conclusion. *Merci, Étienne
chéri, d'avoir protégé cette relation.*

Ils s'embrassent tendrement d'abord, puis de plus en plus passionnément. En s'abandonnant dans les bras de Gabriel, Hélène
se dit qu'enfin ils peuvent regarder vers l'avenir et bâtir quelque
chose de solide ensemble.

FIN

REMERCIEMENTS

Merci Michel d'Astous, mon complice de toujours, de m'avoir fait confiance avec nos personnages dans cette aventure romanesque.

Merci Dominique Drouin pour ton talent, ton amitié, ta souplesse et ton ouverture. Quelle formidable collaboration !

Je tiens également à remercier chaleureusement Anne-Marie Cadieux, qui a incarné notre Hélène avec tant de finesse et de sensibilité, d'avoir accepté de renouer avec son personnage.

Les filles de Duo Productions, Micheline, Marie-Hélène, Vicki et Marie-Ève : je salue votre enthousiasme à me suivre dans toutes mes idées.

Merci Christian Jetté, président Édition, secteur Livres de Québecor, Judith Landry, directrice générale du Groupe Homme, et toute sa belle gang pour cette expérience professionnelle parfaite. Un merci tout spécial à notre éditrice, Pascale Mongeon, pour son soutien.

Et enfin, un gros merci aussi à France Lauzière, Ginette Viens, Richard Haddad, Dominique Burns et toute l'équipe des fictions de TVA pour leur confiance depuis tant d'années.

Les auteures

ANNE BOYER et son coauteur de toujours, Michel d'Astous, racontent des histoires qui accompagnent les téléspectateurs depuis plus de trente ans. Le duo a enchaîné les œuvres à succès, allant de la série policière à la saga historique en passant par le téléroman où les relations familiales sont toujours exploitées avec une justesse émouvante. La série *Yamaska* a fait vibrer près d'un million et demi de Québécois chaque semaine pendant sept ans au réseau TVA.

DOMINIQUE DROUIN a exercé les métiers d'auteure, de scénariste et de directrice de maisons d'édition. À titre d'écrivaine, elle a signé *Roman de jeunesse* et la saga *De mères en filles*, en quatre tomes. Elle s'est jointe à Anne Boyer pour imaginer ce complément romanesque, présentant le destin de trois personnages phares de la série *Yamaska*, dont les intrigues sauront gagner le cœur des lecteurs.

Suivez-nous sur le Web

Consultez nos sites Internet et inscrivez-vous à l'infolettre pour rester informé en tout temps de nos publications et de nos concours en ligne. Et croisez aussi vos auteurs préférés et notre équipe sur nos blogues!

EDITIONS-HOMME.COM
EDITIONS-JOUR.COM
EDITIONS-PETITHOMME.COM
EDITIONS-LAGRIFFE.COM
RECTOVERSO-EDITEUR.COM
QUEBEC-LIVRES.COM
EDITIONS-LASEMAINE.COM

RECYCLÉ
Papier fait à partir
de matériaux recyclés
FSC® C103567

Imprimé chez Marquis Imprimeur inc.
sur du Rolland Enviro, contenant 100%
de fibres postconsommation, fabriqué à partir d'énergie biogaz
et certifié FSC®, ÉCOLOGO, Procédé sans chlore et
Garant des forêts intactes.

PERMANENT   100%